Das Android
Smartphone-Buch

Kommentare und Fragen können Sie gerne an uns richten:
O'Reilly Verlag
Balthasarstr. 81
50670 Köln
E-Mail: kommentar@oreilly.de

Bibliografische Information der Deutschen Nationalbibliothek
Die Deutsche Nationalbibliothek verzeichnet diese Publikation in der Deutschen Nationalbibliografie; detaillierte bibliografische Daten sind im Internet über *http://dnb.d-nb.de* abrufbar.

Lektorat: Christine Haite, Köln
Korrektorat: Friederike Daenecke, Zülpich
Satz: III-satz, Husby
Umschlaggestaltung: Michael Oreal, Köln
Produktion: Andrea Miß, Köln
Belichtung, Druck und buchbinderische Verarbeitung: Mediaprint, Paderborn

ISBN 978-3-86899-105-5

Dieses Buch ist auf 100% chlorfrei gebleichtem Papier gedruckt.

Inhaltsverzeichnis

8. So wird Ihr Smartphone persönlicher, vernetzter und sicherer   217

Willkommen, Smartphone, willkommen, Android!

2007 war das Jahr, das die Welt der Mobiltelefone veränderte. In diesem Jahr betrat Steve Jobs, der Chef von Apple, in San Francisco eine Bühne und präsentierte ein Gerät, das die Welt der Telefone und die der Computer grundlegend umkrempeln sollte. Seit dem Erscheinen des iPhone ist nichts mehr, wie es war. Es war das erste Mobiltelefon, das komplett auf Tasten verzichtete (bis auf eine Home-Taste) und stattdessen vollständig mit einem oder mehreren Fingern gleichzeitig (Multitouch) bedient wurde. Und obwohl es sehr teuer war, nur über eine langsame mobile Datenverbindung verfügte und zudem nur bei einem Mobilfunkanbieter zu haben war, eroberte es die Herzen von Fachleuten und – noch viel wichtiger – von ganz normalen Menschen.

Zu diesem Zeitpunkt lief bei Google schon das Geheimprojekt Android (das ist das englische Wort für einen Androiden, also einen menschenähnlichen Roboter). Dabei handelte es sich um ein Betriebssystem für Mobiltelefone, das dem des iPhone sehr ähnlich war. Das System ist Open Source (quelloffen) und darf von jedem verändert und weitergegeben werden.

2008 kam das erste Android-Gerät in die Läden. In Deutschland kam es als T-Mobile G1 auf den Markt. Seitdem geht die Entwicklung in Riesenschritten voran. Mittlerweile sind 33 Hersteller Mitglieder in der Open Handset Alliance und entwickeln Mobiltelefone, Tablets und alle möglichen anderen Geräte von Armbanduhren bis zu TV-Geräten mit diesem System.

2011 ist das Jahr des Smartphones. Nachdem die experimentierfreudigen Pioniere alle Steine aus dem Weg geräumt und den Weg für das mobile Internet vom Trampelpfad zur befestigten Straße ausgebaut haben, können Sie jetzt all die Dinge tun, die Ihnen die Mobilfunkindustrie schon seit vielen Jahren versprochen hat. Freuen Sie sich darauf.

KAPITEL 1 | Sofort starten mit dem Android Smartphone

Mit diesem Buch nutzen Sie schnell die vielen Möglichkeiten, die Ihnen Ihr Smartphone bietet, und finden heraus, wie dieser mobile Computer mit Telefonfunktion Ihr Leben jeden Tag bereichern kann.

Die Anleitungen und Tipps in diesem Buch können Sie mit jedem Android-Smartphone nutzen. Jedoch ist kein Android-Smartphone wie das andere: Ich hatte Geräte von HTC, Motorola, Samsung und Sony Ericsson zur Verfügung; alle waren unterschiedlich, aber alle waren sich auch sehr ähnlich.

Drei Hinweise deshalb vorweg:

1. Dieses Buch behandelt Geräte der Systemversionen 2.2 und 2.3 (erhältlich seit Mitte 2010). Die meisten Inhalte treffen auch auf Geräte mit niedrigeren Systemversionen zu, können sich aber unterscheiden (z.B. bei einem meiner Lieblingsgeräte, dem Motorola Defy).

2. Für die Anleitungen in diesem Buch wird hauptsächlich das Google Nexus S verwendet. Dieses Gerät von Samsung nutzt das aktuelle Android-System in der unveränderten Grundausführung von Google, die alle Hersteller als Grundlage für Ihre Geräte verwenden (derzeit mit der Versionsnummer 2.3.4). Die Bildschirme sehen deshalb möglicherweise ein wenig anders aus als bei Ihrem Gerät, die Funktionen stimmen jedoch weitgehend überein.

3. Sie können Ihr Android-Smartphone nutzen, ohne es jemals in die Nähe eines Computers zu bringen. Wenn Sie es aber doch einmal mit einem Computer zusammen nutzen möchten, ist es sehr kontaktfreudig. Ich gehe in diesem Buch auf die Verbindung mit dem PC (Windows 7) und dem Mac (Mac OS X 10.6.x) ein. Linux-Anwender finden sicher auch passende Anwendungen. Suchen Sie einfach danach – vielleicht mit Googles anderer erfolgreicher Erfindung, der Google Suche.

Mit welcher Software läuft mein Smartphone?

Wie Sie die Version Ihres Gerätes herausfinden, lesen Sie in diesem Kapitel auf Seite 41.

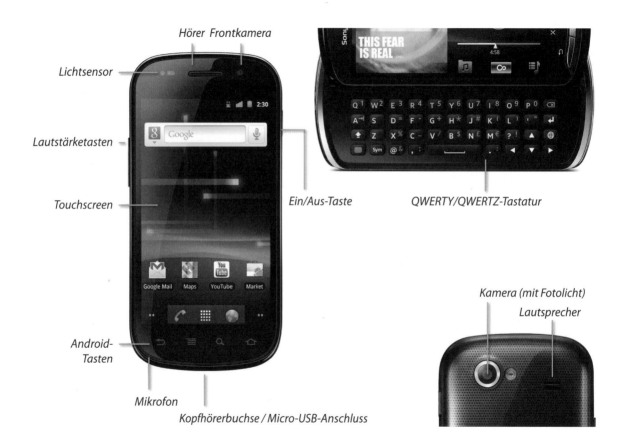

Hörer Frontkamera

Lichtsensor

Lautstärketasten

Touchscreen

Ein/Aus-Taste

QWERTY/QWERTZ-Tastatur

Android-
Tasten

Mikrofon

Kopfhörerbuchse / Micro-USB-Anschluss

Kamera (mit Fotolicht)

Lautsprecher

Android-Grundlagen – Das ist dran am Smartphone

Willkommen in der Welt der licht-, bewegungs- und berührungsempfindlichen Android-Smartphones. Es handelt sich bei ihnen um kleine Computer, die so einfach zu bedienen sind, weil sie ganz selbstverständlich modernste Technik nutzen. Das bringt Ihr Android mit:

Die Tasten

1. Ein/Aus-Taste: Einmal kurz drücken, und das Smartphone geht in den Ruhezustand (Standby). Langes Drücken öffnet die Telefonoptionen. Dazu gehören immer Lautlos, Flugmodus und Ausschalten. Als ordentlicher Computer lässt sich Ihr Android das Herunterfahren bestätigen.

2. Lautstärke: Die Lautstärke-Tasten sind meist als Wippe ausgelegt. Sie steuern die Lautstärke Ihres Gesprächspartners genauso wie den Musik- und Videoton.

3. Die QUERTZ-Tastatur: Einige Geräte sind mit einer echten Tastatur ausgestattet. Vielschreiber schwören darauf.

4. Die Android-Tasten: Sie gehören zum System und sind meist als Touch-Tasten ausgeführt, bei manchen Geräten auch als echte Tasten mit Klick. Mehr dazu finden Sie auf den nächsten Seiten.

Der Touchscreen

Der berührungsempfindliche Bildschirm ist Anzeige- und Eingabegerät gleichzeitig. Alle Elemente, die Sie sehen, können Sie nutzen, indem Sie sie einfach anfassen. Mehr dazu folgt auf den nächsten Seiten.

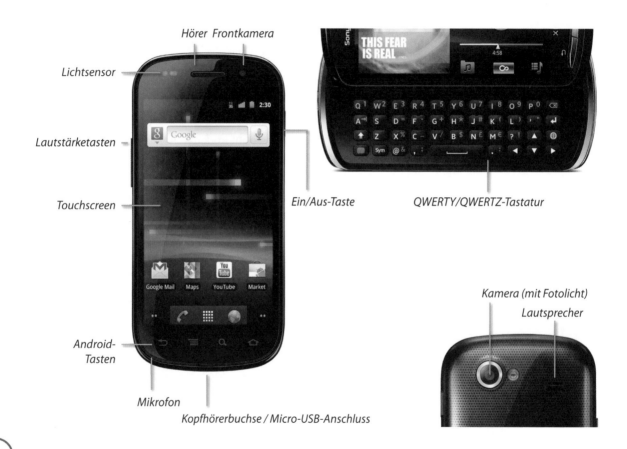

Hörer Frontkamera

Lichtsensor

Lautstärketasten

Touchscreen

Ein/Aus-Taste

QWERTY/QWERTZ-Tastatur

Android-Tasten

Mikrofon

Kopfhörerbuchse / Micro-USB-Anschluss

Kamera (mit Fotolicht)

Lautsprecher

Das ist dran am Smartphone (Fortsetzung)

Die Sensoren

- Lichtsensoren erkennen, wenn Sie das Smartphone ans Ohr halten, und schalten das Display ab, damit Sie nicht aus Versehen mit der Wange eine Taste drücken. Außerdem regeln sie die Helligkeit je nach Umgebung.
- Die Kamera auf der Rückseite eignet sich für hochauflösende Foto- und Video-Aufnahmen. Die Frontkamera mit niedrigerer Auflösung reicht zum Videotelefonieren und als Schminkspiegel völlig aus.
- Die Hörmuschel (oben) und das Mikrofon zum Telefonieren (unten). Manche Geräte besitzen ein zweites Mikrofon, das Störgeräusche aus der Umgebung erkennt und ausblendet.
- Mit GPS-Chip, Kompass und Bewegungssensoren erkennt Ihr Smartphone jederzeit, wo und in welcher Lage es sich befindet.

① Statusleiste

Benachrichtigungsfeld

Widget

Hintergrund

Ordner

Verknüpfung

② Home-Bildschirm

③ Launcher

④ Android-Tasten

Android-Grundlagen – So steuern Sie Ihr Smartphone

Mit dem Einschalten entfaltet sich die Magie des Smartphones. Dann zeigt Android auf dem Bildschirm die Elemente, mit denen sich Ihr Telefon so schnell und mühelos steuern lässt.

❶ Die **Statusleiste**: Sie zeigt immer die Zeit, den Batterieladezustand und die Signalstärke des Funknetzes an. In ihr sammeln sich alle Benachrichtigungen, etwa zu neuen E-Mails oder SMS.

- Ziehen Sie mit dem Finger vom oberen Bildschirmrand nach unten, um das Benachrichtigungsfeld zu öffnen (egal, was Ihr Smartphone gerade anzeigt).
- Tippen Sie auf einen Eintrag, um ihn zu öffnen (z.B. auf eine SMS oder eine E-Mail). Auch kleine Steuerelemente finden hier Platz.

❷ Der **Startbildschirm** (auch Home-Bildschirm oder Home-Screen genannt): Die Organisationszentrale Ihres Smartphones erreichen Sie immer mit einem Druck auf die Home-Taste. Auf diesem Bildschirm können Sie **Verknüpfungen** zu Apps oder Dokumenten (hier zur Kamera), **Widgets** (hier Kalender und Suche) und **Ordner** (z.B. Kommunikation) frei platzieren. Wie Sie mit diesen Elementen Ihr Smartphone noch geschickter nutzen, lesen Sie in Kapitel 8, Das Smartphone smarter nutzen.

- Drücken Sie lange auf eine leere Fläche, um ein neues Objekt hinzuzufügen oder den **Hintergrund** zu ändern.
- Wischen Sie nach links und rechts. Sie können zwischen bis zu sieben Bildschirmen wechseln, die Sie ebenfalls individuell zusammenstellen können.

❸ Der **Launcher**: Diese Startleiste mit Symbolen ist fest am unteren Bildschirmrand verankert und auf allen Bildschirmen zu sehen.

- Telefon und Browser sind hier fest installiert.
- Das Symbol in der Mitte öffnet das Anwendungsmenü mit allen installierten Apps. Die Punkte zeigen an, auf welchem Bildschirm Sie sich gerade befinden.

❹ Die **Android-Tasten**: Zurück, Menü, Suchen und Home stehen auf dem Startbildschirm und in allen Apps immer zur Verfügung. Mehr zu ihnen folgt auf der nächsten Seite.

Zurück Menü Suche Home

1 **2** **3** **4**

Android-Grundlagen – Die Android-Tasten

Die Tasten am unteren Rand des Displays sind bei allen Android-Smartphones gleich. Sie sind immer zugänglich, egal, was auf dem Bildschirm zu sehen ist.

❶ **Zurück**: Geht einen Schritt zurück. Praktisch überall, systemübergreifend.

- Sie tippen durch ein Menü – Zurück bringt Sie eine Ebene höher.
- Eine App ruft eine andere auf – Zurück bringt Sie zur vorherigen App.
- Ein Dialogfeld öffnet sich – Zurück schließt es.

❷ **Menü**: Zu vielen Inhalten, die auf dem Bildschirm angezeigt werden, gibt es zusätzliche Funktionen. Mit dieser Taste starten Sie Aktionen (z.B. Weiterleiten) oder greifen auf Optionen und Einstellungen zu. Tippen Sie einfach mal darauf.

❸ **Suche**: Kurzes Tippen öffnet das Suchfeld, langes Drücken die Spracherkennung für die Google-Suche.

- Auf dem Home-Bildschirm startet ein Tipp die Universalsuche über das gesamte Smartphone. Suchen Sie Begriffe im Web (mit dem Browser), Apps nach Namen, Kontakte nach Name oder Firma. Über die Einstellungen (tippen Sie auf den Drehknopf) können Sie noch andere Inhalte hinzufügen, z.B. Musik, SMS/MMS, Notizen etc.
- Die Suche-Taste bleibt inaktiv, wenn eine App keine Suchfunktion besitzt, zum Beispiel die Foto-Galerie.

❹ **Home**: Die wichtigste Taste an Ihrem Smartphone.

- Kurzes Drücken bringt Sie immer auf den Home-Bildschirm zurück, den Startpunkt aller Aktivitäten.
- Langes Drücken zeigt die zuletzt verwendeten Apps. Tippen Sie auf eine, um direkt dorthin zu wechseln. Häufig können Sie von hier aus auch den Task Manager öffnen, um etwa Anwendungen zu beenden.

Je nach Hersteller und Systemversion sehen Ihre Tasten anders aus oder sind anders angeordnet: Das Samsung Galaxy besitzt eine Home-Taste mit Klick, versteckt dafür die Suchtaste im Menü. Beim Motorola Defy ist die Menü-Taste dort, wo beim HTC Desire die Home-Taste zu finden ist. Das ist aber kein Problem, wenn Sie nicht täglich das Telefon wechseln.

Android und die Cloud

Ihr Smartphone ist ein mobiler Computer für das Internet. Dieser Androide ernährt sich von Strom und GPS und braucht UMTS und WLAN so dringend wie wir die Luft zum Atmen. Diese Nahrung ist die Grundlage für die beinahe magischen Fähigkeiten, mit denen Android Ihr Leben unwahrscheinlich bereichern kann.

Denn Android ist ein System für die Cloud. Das heißt, es ist dafür gemacht, mit Daten zu arbeiten, die sich nicht auf dem Gerät, sondern im Internet befinden, gleichsam über dem Gerät schwebend, wie in einer Wolke – auf Englisch Cloud.

Deshalb ist das Erste, was Sie beim Einschalten Ihres Telefons tun sollten, die Einrichtung Ihres Google-Kontos. Welche Daten und wie viele davon Sie Google anvertrauen wollen, können Sie später noch entscheiden.

Auch wenn Sie nicht vorhaben, Daten über Google-Dienste auszutauschen, empfehle ich Ihnen, ein Konto bei Google anzulegen. Sie benötigen es spätestens dann, wenn Sie im Market einkaufen möchten.

Und wer denkt an den Datenschutz?

Sie meinen, ich stehe völlig blauäugig und ignorant den Gefahren der modernen Technik gegenüber und sehe nur die Versprechungen der Konzerne? Es klingt fast so, stimmt aber nicht. Im Laufe dieses Buches gehe ich durchaus auf Datenschutzbedenken ein und zeige, wie Sie Ihre Daten schützen können.

Ein Google-Konto einrichten

Wenn Sie Ihr Android-Phone zum ersten Mal starten, werden Sie nach Ihren Google-Kontodaten gefragt. Dieses **erste** Konto ist das **Hauptkonto** Ihres Geräts. Falls Sie schon ein Google-Konto aktiv nutzen, etwa mit Google Mail oder Google Talk, sollten Sie es hier angeben.

Wichtig! Mit diesem Konto werden Ihre Downloads und Einkäufe im Market verbunden. Mit diesem Konto sind auch die Datensicherung und die automatische Wiederherstellung Ihrer Einstellungen verbunden (Einstellungen → Datenschutz).

Öffnen Sie Einstellungen → Konten und Synchronisierung, und tippen Sie auf Konto hinzufügen. Jetzt müssen Sie wählen:

Mit einem bestehenden Google-Konto anmelden

❶ Tippen Sie auf Anmelden.

❷ Geben Sie im nächsten Schritt Ihren Benutzernamen (Ihre Google Mail-Adresse) und Ihr Passwort ein. Tippen Sie dann auf Anmelden.

Ein neues Google-Konto anlegen

❶ Tippen Sie auf Erstellen.

❷ Geben Sie Ihren Vornamen und Nachnamen ein. Google schlägt einen Namen vor, den Sie beliebig verändern können.

❸ Ist der Name nicht mehr verfügbar, schlägt Google Alternativen vor. Diese können Sie auswählen (so wie hier) oder durch einen eigenen Vorschlag ersetzen. Tippen Sie auf Weiter. Ist der Name noch zu haben, geht es weiter.

❹ Geben Sie ein Passwort ein – Google zeigt an, ob es sicher ist –, und bestätigen Sie es. Tippen Sie dann auf Fertig.

Jetzt wird Ihr Konto eingerichtet und mit Ihrem Gerät verbunden (zwischendurch müssen Sie noch den Nutzungsbedingungen zustimmen). Viel Spaß.

① Android-Tastatureinstellungen

Vibrieren b. Tastendruck ☐

② Ton bei Tastendruck ☐

Pop-up bei Tastendruck ☑

Wortkorrektur ☑
Zum Korrigieren auf eingegebene
Wörter tippen

Autom. Groß-/Kleinschr. ☑

Toneinstellungen

Tastentöne ☐ **③**
Töne bei Telefonwahl

Akustische Auswahl ☐
Ton bei Auswahl auf Bildschirm

Display-Sperre ☐
Ton beim Sperren und Entsperren des
Bildschirms

Haptisches Feedback ☐ **④**
Vibration beim Drücken von Softkeys
und bei bestimmten UI-Interaktionen
Vibration beim Drücken von Softkeys
und bei bestimmten UI-Interaktionen

Einstellungen   hans.dorsc...mail.com

Beschriftungsvorgang für mehr als eine
Konversation zulassen

Suchverlauf löschen
Alle Suchvorgänge aus dem Verlauf entfernen

Labels
Zu synchronisierende Labels auswählen

Benachrichtigungseinstellungen

E-Mail-Benachrichtigung ☑
Bei E-Mail-Eingang Benachrichtigung in
der Statusleiste

⑤ Klingelton auswählen ⊙

Vibration ⊙
Nie

Einstellungen für Standort & Sicherheit

Mein Standort

Drahtlosnetzwerke ☑
Standort über WLAN und/oder
Mobilfunknetze bestimmen

⑥

GPS-Satelliten ☑
Genau auf Straßenebene lokalisieren

Display-Entsperrung

Display-Sperre einrichten
Display mit einem Muster, einer PIN oder
einem Passwort sperren

⑦

SIM-Kartensperre

SIM-Sperre einrichten

Passwörter

Sichtbare Passwörter

15:33 Telekom
Donnerstag, 23. Juni

⚡ Aufgeladen

Telefonoptionen

⑧

📳 **Lautlos**
Ton ist AUS.

✈ **Flugmodus**
Flugmodus ist AUS.

⏻ **Ausschalten**

Notruf

Die wichtigsten Einstellungen festlegen

Wundern Sie sich über die unfreundlichen Gesichter Ihrer Mitreisenden in der U-Bahn? Vielleicht liegt es daran, dass Sie SMSe tippen und Ihr Gerät jeden Tastendruck mit einem deutlich hörbaren Ton quittiert. Sie können die Töne zum Glück abschalten. Ihre Mitmenschen werden es Ihnen danken. Diese Einstellungen empfehle ich für den Anfang:

❶ Öffnen Sie Einstellungen → Sprache & Tastatur. Wählen Sie die Android-Tastatur.

❷ Schalten Sie den Ton bei Tastendruck aus (vielen Dank!). Auch Vibrieren bei Tastendruck können Sie ausschalten. Es stört zwar Ihre Mitmenschen nicht, irritiert aber bei der Bedienung.

❸ Schalten Sie alle Feedback-Optionen aus: vor allem die Tastentöne bei der Telefonwahl und die Akustische Auswahl. Öffnen Sie dazu Einstellungen → Töne.

❹ Schalten Sie Haptisches Feedback aus, es sei denn, Sie möchten, dass Ihr Telefon bei jeder Berührung vibriert.

❺ Alle Nachrichten-Apps bieten eigene Benachrichtigungsoptionen an. Stellen Sie bei E-Mail-Konten, die nicht geschäftskritisch sind, den Klingelton ab.

❻ Schalten Sie die Ortungsdienste über Funkdienste und GPS (benötigt ein bisschen mehr Strom) an. So können manche Apps den Standort Ihres Telefons genauer feststellen. (Beim Download einer App können Sie sehen, welche das sind.)

❼ Schalten Sie die Display-Sperre ein. Mehr dazu folgt später in diesem Kapitel.

❽ Schnell Ruhe schafft übrigens der Lautlosmodus. Damit schalten Sie alle Töne aus, die das Gerät erzeugt, bis auf die Medienwiedergabe und den Wecker. Drücken Sie dazu lange die Standby-Taste.

Kommunikation und Information

Foto und Unterhaltung

Das haben alle Android-Phones: Die Programme

Zwar kann der Kalender bei Samsung anders aussehen als bei Sony Ericsson – zugrunde liegen jedoch meist die Apps, die Google bereitstellt. Hier sind die aktuellen Programme, nach Funktionen gegliedert:

Kommunikation/Information

- **Telefon**: Die App zum Telefonieren mit vielen Funktionen, die das Anrufen schöner machen. Mehr dazu folgt in Kapitel 5.
- **Kontakte**: Adressen und Telefonnummern sammeln, verwalten und online mit Google, Exchange und anderen Diensten abgleichen. Die App ist meist in die Telefon-App integriert.
- **Kalender**: Termine ansehen und verwalten, auch online mit Google-Kalendern und Exchange. Mehr dazu folgt in Kapitel 9.
- **Google Mail**: Die App zum Abrufen Ihrer Google Mail-Konten. Alles zu Mail und Chat lesen Sie in Kapitel 7.
- **E-Mail**: Die App für alle anderen E-Mail-Konten; rufen Sie POP3-, IMAP- und Exchange-Postfächer ab.
- **SMS/MMS**: Text- und Multimedia-Nachrichten senden und empfangen.
- **Google Talk**: Textchat, Audio- und Videotelefonate mit Google-Nutzern weltweit.
- **Browser**: Der Webbrowser ist Ihr Zugang zum World Wide Web. Mehr dazu in Kapitel 6.

Foto und Unterhaltung

- **Kamera**: Fotos und Videos mit den eingebauten Kameras aufnehmen.
- **Galerie**: Das Foto- und Videoalbum von Android verwaltet und zeigt Ihre Aufnahmen. Mehr zu Fotos und Videos finden Sie in Kapitel 14.
- **Musik**: Googles Musikspieler (bald auch mit Online-Verbindung) spielt Ihre MP3s unterwegs ab. Mehr dazu finden Sie in Kapitel 12.
- **Youtube**: YouTube-Videos ansehen, bewerten und kommentieren, mit Zugriff auf Ihre eigenen Listen. Mehr dazu folgt ebenfalls in Kapitel 12.

Orientierung und Navigation

Dienstprogramme

Suche und Sprachsteuerung

Das haben alle Android-Phones (Fortsetzung)

Orientierung und Navigation

- **Maps**: Der Kartendienst und Routenplaner von Google. Mehr dazu folgt in Kapitel 10.
- **Navigation (Auto und Fußgänger)**: Googles Navigationssoftware mit Sprachführung für Auto, Fahrrad und Fußgänger. Mehr dazu folgt ebenfalls in Kapitel 10.
- **Automodus**: Die vereinfachte Oberfläche erleichtert die Bedienung im Auto.
- **Latitude**: Den eigenen Standort anzeigen und sehen, wo Freunde sind.
- **Places**: Orte in der Nähe (Restaurants, Geldautomaten etc.)
- **Google Earth**: Der digitale Atlas zum Entdecken der Welt

Dienstprogramme

- **Market**: Android-Apps suchen und laden. Mehr dazu bietet Kapitel 4.
- **Einstellungen**: Hier bearbeiten Sie die Systemeinstellungen (wie am Computer).
- **Rechner**: Taschenrechner mit Grundrechenarten
- **Uhr**: Die praktische Uhr mit Weckfunktionen
- **Downloads**: Hier finden Sie alle Downloads auf dem Gerät.
- **News & Wetter**: Lokales Wetter und Nachrichten von Google. Als App und als Widget.

Suche und Sprachsteuerung

- **Suche (Google)**: Fester Bestandteil von Android. Universelles Suchfeld für Inhalte auf dem Gerät und im Internet.
- **Sprachsuche**: Telefon und Internet mit Sprache durchsuchen. Drücken Sie lange auf die Such-taste.
- **Sprachwahl**: Kontakte mit Sprachbefehlen anrufen. Mehr dazu finden Sie in Kapitel 5, Telefonieren mit Komfort.

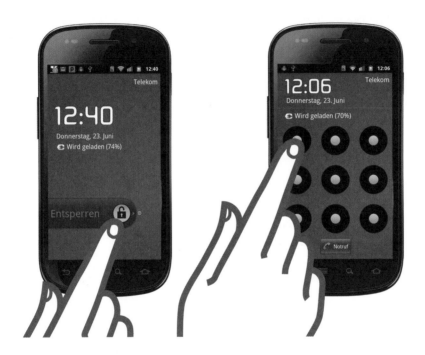

Sichern Sie Ihr Smartphone

Ihr Smartphone ist wahrscheinlich der persönlichste Computer, den Sie je hatten. Je länger Sie es nutzen, desto mehr Daten werden Sie darauf sammeln und desto wertvoller wird es als Begleiter für Sie – und möglicherweise für Personen, die auf irgendeine Weise daran kommen. Diebstahl, Verlust beim wilden Herumknutschen im Taxi oder banales Liegenlassen im Biergarten: Schnell ist Ihr Gerät in fremden Händen, und das mit all Ihren Kontakten, E-Mails und anderen persönlichen Daten. Wie Sie Ihr Smartphone sichern, lesen Sie auf der nächsten Seite.

Sichern Sie Ihre Daten, und löschen Sie sie aus der Ferne

Viele Hersteller bieten eigene Dienste zum Fernsteuern Ihres Telefons an. Dazu gehört auch das Löschen aller Inhalte aus der Ferne. Dieser sogenannte Remote Wipe ist auch eine der Grundfunktionen von Microsoft Exchange. Haben Sie so ein Konto auf Ihrem Android eingerichtet, können Sie oder der Administrator das Gerät aus der Ferne auf den Werkszustand zurücksetzen.

Und wenn es kaputt ist?

Wenn Ihr Smartphone kaputt ist, ist das schade. Bei Wasserschäden wirkt manchmal Reis Wunder (Batterie raus und das Gerät ein paar Tage in eine Schale mit trockenem Reis legen), meistens werden Sie sich aber wohl ein neues Gerät kaufen müssen. Einen Trost habe ich aber für Sie: Ihre Daten können Sie leicht zurückbekommen – aus der Cloud. Dazu finden Sie mehr in Kapitel 15.

Display-Sperre mit PIN oder Passwort einrichten

Ich weiß nicht, welches das erste Gerät war, das sich mit einem vierstelligen Code schützen ließ, und auch nicht, warum es ausgerechnet vier Stellen sind. Vielleicht hat es mit der Merkfähigkeit des Gehirns zu tun – wahrscheinlich aber eher mit Sachzwängen. Ihr Smartphone können Sie jedenfalls mit solch einem Code ziemlich gut absichern.

❶ Öffnen Sie Einstellungen → Standort & Sicherheit, und tippen Sie auf Display-Sperre einrichten.

❷ Wählen Sie PIN in der Auswahl.

❸ Geben Sie eine vierstellige Zahlenkombination ein (nicht 1234!), und tippen Sie auf Weiter. Geben Sie im nächsten Schritt die Kombination noch einmal ein (Android will sichergehen, dass Sie sich nicht vertippt haben). Der Tipp auf OK schaltet die Sperre scharf.

❹ Beim nächsten Aufwecken aus dem Standby ist Ihr Telefon geschützt.

Wählen Sie statt PIN die Option Passwort in der Auswahl, können Sie beliebig lange und beliebig komplizierte Sicherheitsabfragen einrichten. Denken Sie aber daran, dass Sie dieses Wort jedes Mal eingeben müssen, wenn Sie Ihr Telefon entsperren!

Sollten Sie Ihren PIN-Code einmal vergessen, müssen Sie Ihr Android auf die Werkseinstellungen zurücksetzen. Welche Tasten Sie dazu drücken müssen, lesen Sie in Kapitel 15.

Verzögerte Sperre für weniger Tippen

Damit Sie Ihr Android nicht jedes Mal entsperren müssen, wenn Sie es für ein paar Sekunden zur Seite legen, empfehle ich, das Display-Timeout (unter Einstellungen → Display) ein wenig hochzusetzen, zum Beispiel auf 2 Minuten. Wenn Sie Ihr Telefon sofort schützen wollen, drücken Sie die Einschalttaste.

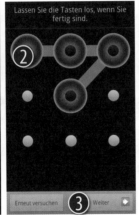

Display-Sperre mit Muster einrichten

Das wünsche ich mir fürs Fahrrad: ein Schloss, das auf Zeichnungen reagiert (»das ist das Haus vom Nikolaus«). Ich kann mir nämlich keine Zahlen merken. Am Android ist dieser Schutzmechanismus wirklich clever und außerdem grafisch sehr hübsch anzusehen.

❶ Wählen Sie in den Einstellungen für die Displaysperre die Option Muster.

❷ Zeichnen Sie zwischen den neun verfügbaren Punkten ein Muster, das Sie sich merken können. Dabei müssen Sie mindestens vier Punkte verbinden (Ich verwende ein einfaches Muster, das sich schnell mit dem Daumen wischen lässt. So kann ich mein Android auch einhändig aufsperren. Ab und zu ändere ich das Muster).

❸ Tippen Sie auf Weiter, und zeichnen Sie das Muster im nächsten Schritt noch einmal. Mit Bestätigen schalten Sie die Sperre ein.

❹ Sie können das Muster anzeigen lassen, während Sie es eingeben (gut zum Üben). So ist es leider auch für Zuschauer einfacher nachzuvollziehen – entfernen Sie also lieber den Haken bei Muster sichtbar.

❺ Beim nächsten Aufwecken aus dem Standby ist Ihr Telefon geschützt.

Und wenn ich das Muster vergesse?

Haben Sie das Muster fünfmal falsch gezeichnet, ist der Zugang für 30 Sekunden blockiert. Wenn Sie sich partout nicht an Ihre Zeichnung erinnern können, hilft Ihr Google-Konto. Tippen Sie auf Muster vergessen am unteren Bildschirmrand, und loggen Sie sich damit ein. Puh! Jetzt noch ein neues Muster eingeben, und alles ist wieder gut.

SIM-Kartensperre aktivieren und ändern

In Zeiten von Flatrates und gedeckelten Tarifen (Kosten-Airbag) ist es eigentlich nicht mehr so tragisch, wenn Unbefugte Zugriff auf Ihre Telefonkarte bekommen. Da sich aber mit geklauten SIM-Karten allerlei Unfug treiben lässt, der Sie in Schwierigkeiten bringen kann, sollten Sie Ihre eigene Karte trotzdem schützen.

❶ Öffnen Sie Einstellungen → Standort und Sicherheit → SIM-Kartensperre einrichten.

❷ Tippen Sie auf SIM-Karte sperren. Geben Sie eine PIN ein (zweimal) und tippen Sie auf OK. Jetzt ist Ihr Telefonkonto sicher.

❸ Hier können Sie auch die voreingestellte PIN ändern, mit der Ihr Telefonanbieter die Karte möglicherweise versehen hat, damit Sie sich die Nummer leichter merken können. Karten mit Vertrag (Postpaid) werden übrigens grundsätzlich mit PIN ausgeliefert.

Unfug mit Telefonkarten – ein Beispiel

Nehmen wir an, Sie betreiben einen Telefondienst mit einer teuren 0900-Telefonnummer. Wäre es nicht praktisch, wenn Sie ein paar Leute finden würden, die diese Nummer anrufen würden – am besten mit gefundenen Telefonen? Damit ließe sich vielleicht eine Menge Geld machen.

Über das Telefon

① Systemupdates

② Status
Telefonnummer, Signal usw.

Akkuverbrauch
Was zum Akkuverbrauch beiträgt

Rechtliche Hinweise

Modellnummer
Nexus S

③ Android-Version
2.3.4

Baseband-Version
I9023XXKD1

Kernel-Version
2.6.35.7-ge382d80
android-build@apa28 #1

Build-Nummer
GRJ22

Telefoninfos – Wichtige Daten schnell zur Hand

Welches System läuft auf Ihrem Smartphone? Wie ist eigentlich Ihre Telefonnummer? Das wissen Sie nicht? Es steht alles in Ihrem Smartphone. Öffnen Sie Einstellungen und dann den letzten Eintrag in der Liste, Telefoninfo. Hier finden Sie unter anderem diese Informationen:

❶ Systemupdates werden meist angekündigt. Um nachzusehen, ob Updates für Ihr Gerät vorhanden sind, tippen Sie auf den Eintrag und dann auf Aktualisierungen prüfen.

❷ Status zeigt die Telefonnummer an (für mich wichtig) und weitere Daten, die man manchmal gerne weiß, wie die IMEI-Nummer (die eindeutige 15-stellige Seriennummer jedes Mobiltelefons), das Mobilfunknetz und die aktuelle WLAN-MAC-Adresse (die eindeutige Geräteadresse, falls Ihr Admin die wissen will).

❸ Android-Version zeigt die aktuell installierte Systemversion. Hier ist es die Version 2.3.4, auch »Gingerbread« genannt.

Kurze Android-Versionskunde

Programmierer ernähren sich bekanntlich ausschließlich von Kaffee und Pizza. Im Android-Hauptquartier hegt man aber anscheinend auch noch eine ausgeprägte Vorliebe für delikate Süßigkeiten. Warum sonst trügen die Systemversionen solche süße Namen?

Die ersten Versionen des Android-Systems hießen Cupcake und Donut. Die aktuellen Versionen, von denen Sie hoffentlich eine installiert haben, heißen Eclair (2.0 bis 2.1.x, auf dem Bild), Froyo (Frozen Yoghurt, 2.2.x) und Gingerbread (2.3.x). Die süßen Honigwaben (Honeycomb, 3.x) werden den Tablet-Computern vorbehalten bleiben. Die nächste Version soll den Namen Ice Cream Sandwich tragen. Lecker.

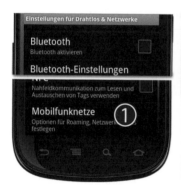

Einstellungen für Drahtlos & Netzwerke

Bluetooth
Bluetooth aktivieren

Bluetooth-Einstellungen

NFC
Nahfeldkommunikation zum Lesen und
Austauschen von Tags verwenden

Mobilfunknetze ①
Optionen für Roaming, Netzwerke
festlegen

Einstellungen für Mobilfunknetz

Daten aktiviert
Datenzugriff über Mobilfunknetze
aktivieren

Daten-Roaming
Bei Roaming mit Datendienst verbinden

Zugangspunkte ②

Nur 2G-Netzwerke
Energiesparend

Netzbetreiber
Netzbetreiber auswählen

APNs

T-Mobile Internet ③
internet.t-mobile

Neuer APN ⑤

Auf Standardeinstellung zurücksetzen ④

Den Internet-Zugang einrichten und verwalten

Ihr Smartphone braucht einen Internet-Zugang, und zwar immer. Schon beim ersten Einschalten fragt es danach – oder wahrscheinlich nicht. Denn Android hat die Verbindungseinstellungen (Zugangspunkte oder APNs, Access Point Names) der großen Mobilfunkanbieter in einer großen Datenbank gespeichert und konfiguriert schon beim Einlegen der SIM-Karte Ihr Smartphone für einen problemlosen Start. Falls Sie doch Schwierigkeiten mit dem Internet-Zugang haben, können Sie die Einstellen auch vollständig selbst anpassen.

❶ Öffnen Sie vom Startbildschirm Einstellungen → Daten & Netzwerke.

❷ Tippen Sie auf Zugangspunkte, um die eingerichteten Zugänge zu sehen.

❸ Öffnen Sie einen Zugangspunkt (hier von T-Mobile), um die Einstellungen in aller Genauigkeit zu bearbeiten.

❹ Tippen Sie auf Menü → Auf Standardeinstellungen zurücksetzen, um sicherzugehen, dass Sie mit den Standards Ihres Anbieters ins Internet gehen.

❺ Wählen Sie Neuer APN, um eine leere Konfiguration zu erzeugen. Tragen Sie dort die Daten ein, die Ihnen Ihr Anbieter genannt hat. Eine aktuelle Liste fast aller Zugangspunkte finden Sie bei www.androidhilfe.de unter www.bit.ly/mms-apn.

Nutzen Sie ein WLAN für große Datenmengen

Nutzen Sie ein WLAN, wenn Sie können: Die Verbindung ist meist schneller, Sie können sich mit Ihrem Mac oder PC im lokalen Netz verbinden, und der Datenverkehr wird nicht von der Datenflatrate abgezogen. Im Ausland können Sie außerdem Roamingkosten vermeiden.

Mit dem WLAN-Netz verbinden

Egal, ob zu Hause, im Büro oder unterwegs: Der Zugang ins Internet per WLAN (oder Wi-Fi) ist in den meisten Fällen die schnellste Möglichkeit, sich mit dem Internet zu verbinden. Wenn Sie zu Hause oder im Büro ein WLAN nutzen, sollten Sie den Zugang dazu schnell auf Ihrem Smartphone einrichten.

❶ Öffnen Sie Einstellungen → Drahtlos & Netzwerke. Tippen Sie auf WLAN, falls die Verbindung noch nicht aktiv ist. Tippen Sie dann auf WLAN-Einstellungen.

❷ Suchen Sie das Netzwerk, mit dem Sie sich verbinden möchten. Das Netz in meinem Büro heißt airlan, es ist geschützt und trägt deshalb ein Vorhängeschloss. Tippen Sie auf das Netzwerk.

❸ Geben Sie im nächsten Schritt Ihr Kennwort ein – über die Tastatur oder über Kopieren und Einsetzen. (Ich sammle die Zugangsdaten in 1Password, siehe Kapitel 8.)

❹ Tippen Sie auf Verbinden.

❺ Sie sind jetzt verbunden. Den Status sehen Sie unter dem WLAN-Eintrag und am WLAN-Symbol in der Statusleiste.

- Die Zugangsdaten bleiben gespeichert. Wenn Sie sich in Zukunft in Reichweite dieses Netzes befinden, verbindet sich Android automatisch.
- Wenn Sie nicht mehr automatisch mit diesem Netzwerk verbunden werden wollen, tippen Sie auf den Eintrag und wählen dann Entfernen.

Netzwerkhinweis abschalten spart Strom und Nerven

Entfernen Sie den Haken an der Option Netzwerkhinweis. Dann sucht Ihr Telefon nicht ständig nach offenen WLAN-Netzen in der Nähe – und behelligt Sie auch nicht damit. Tippen Sie auf Menü → Scan, um selbst nach WLAN-Hotspots zu suchen.

Den Speicher mit einer neuen SD-Karte erweitern

In der Grundausstattung der meisten Smartphones ist eine Speicherkarte mit relativ wenig Speicher enthalten, meist nur 2 GB. Dieser Missstand lässt sich jedoch leicht beheben, denn passende MicroSD-Karten mit bis zu 32 GB sind im Elektronikhandel unfassbar günstig zu haben. So haben Sie einfach mehr Platz für Apps, Photos, Musik und Videos.

Der Tausch ist einfach: alte Karte raus, neue Karte rein. Befinden sich auf der alten Karte noch Daten, können Sie diese einfach auf die neue Karte kopieren. So funktioniert's am PC:

❶ Verbinden Sie Ihr Smartphone über das Micro-USB-Kabel mit Ihrem Computer. Wählen Sie in den USB-Optionen auf dem Gerät Speicherkartenzugriff.

❷ Öffnen Sie jetzt am Computer den Explorer. Die Karte taucht als externes Laufwerk auf (hier Wechseldatenträger (F:)).

❸ Erstellen Sie einen neuen Ordner auf dem Desktop, und nennen Sie ihn »Backup_SD-Karte«. Öffnen Sie ihn in einem neuen Fenster.

❹ Wählen Sie jetzt alle Inhalte von der SD-Karte im Gerät aus (Windows: Strg-A, Mac: ⌘-A), und ziehen Sie sie in das Fenster des leeren Ordners. Warten Sie, bis alle Daten in den Ordner kopiert sind.

❺ Entfernen Sie das Telefon vom Computer, schalten Sie es aus, und tauschen Sie die SD-Karten (das Bild zeigt das Motorola Defy). Stecken Sie dann das Gerät (angeschaltet) wieder an den Computer an. Die neue Karte wird im Normalfall sofort angezeigt.

❻ Kopieren Sie jetzt alle Daten aus dem Ordner »Backup_SD-Karte« auf die neue, leere SD-Karte. (Melden Sie die Karte am Telefon ab, bevor Sie sie herausnehmen. Tippen Sie Home → Einstellungen → SD-Karte und Telefonspeicher → SD-Karte entnehmen. Das Gleiche gilt für den Computer. Auch hier sollten Sie die Karte auswerfen, bevor Sie den USB-Stecker ziehen. Erkennt das Telefon die neue Karte nicht, tippen Sie auf SD-Karte formatieren in den Einstellungen.)

KAPITEL 2 | Bedienungstipps für Ihr Smartphone

Sie haben es gut. Sie leben in der wunderbaren Zeit des Multitouchs. Die aktuellen Android-Smartphones haben die Experimentierphase der mobilen Benutzerschnittstellen hinter sich gelassen, und der technische Fortschritt bei den Bildschirmen hat dafür gesorgt, dass Eingabegeräte nicht nur immer auf genau einen Druck oder eine Berührung reagieren können, sondern auf mehrere gleichzeitig. Das ist Multitouch, und das lässt Sie Ihr Smartphone ganz natürlich bedienen.

Alles, was Sie auf dem Display Ihres Smartphones sehen, können Sie anfassen. Anders als am Computer müssen Sie Objekte auf dem Bildschirm nicht mit der Maus auf dem Tisch ansteuern, sondern fassen sie direkt an. Viele Vorhaben lassen sich ganz einfach durchführen, indem Sie die Objekte auf dem Bildschirm manipulieren, also ganz natürlich mit einem oder mehreren Fingern gleichzeitig bearbeiten (das nennt sich dann eben Multitouch). Möchten Sie einen kleinen Überblick? Auf den nächsten Seiten finden Sie Fingerübungen für Ihr Smartphone. Und wenn Sie mal keine Hand frei haben, sprechen Sie einfach mit Ihrem Telefon. Android versteht Ihre Sprache.

Auf den nächsten Seiten finden Sie nützliche Hinweise zur Bedienung Ihres Smartphones:

- Die Gesten am Android-Smartphone
- Tippen auf der virtuellen Tastatur
- Tippen auf der fest eingebauten Tastatur
- Texteingabe mit der Spracherkennung
- Text und Bild kopieren und einsetzen

Das Android-Smartphone mit Gesten steuern

Ihr Android spürt, was Sie möchten. Denn das System ist ganz auf die Bedienung über das berührungsempfindliche Display eingestellt. Fassen Sie es einfach an.

❶ Tippen:

- Mit einem **Tipp** starten Sie eine App auf dem Home-Bildschirm, folgen Links im Browser oder öffnen Fotos in der Galerie.
- Der **Doppeltipp** auf das Detail eines Fotos in der Galerie zoomt dieses auf Bildschirmgröße heran. Ein weiterer Doppeltipp bringt das ganze Bild zurück.

❷ Bewegen: Berühren Sie einfach den Bildschirm, und bewegen Sie Ihren Finger darüber. So **schieben** Sie etwa die riesige Karte in Maps wie hinter einem Fenster mühelos hin und her oder bewegen sich auf großen Webseiten über die ganze Fläche.

❸ Streichen ist ein **Bewegen** mit Loslassen und viel schwieriger erklärt als durchgeführt. Stupsen Sie einfach den Bildschirm an, und lassen Sie die Inhalte sich von alleine weiterbewegen. Die eingebaute magische Physik sorgt dafür, dass sie nach einer Weile von alleine stoppen. Schieben Sie mit mehr Schwung, um in langen Listen schnell ans Ende zu kommen. Stoppen Sie die Bewegung mit einem Tipp. **Twitter** (bzw. Tweetie) machte als erste App aus dem Streichen eine Aktion. Ziehen Sie die Liste mit Einträgen von oben nach unten, damit die App neue Nachrichten lädt.

Das ist noch kein Multitouch

Diese Gesten funktionieren alle mit einem Finger, also einer Berührung. Auf der nächsten Seite sehen Sie die Gesten, für die Sie mehrere Finger benutzen können.

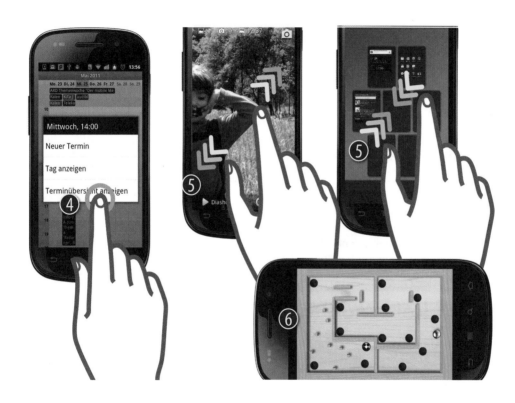

Das Android-Smartphone mit Gesten steuern (Fortsetzung)

❹ **Langes Drücken** löst Aktionen aus oder blendet Optionen ein. Drücken Sie im Kalender lange auf einen Tag, und wählen Sie dann im Menü, ob Sie einen Termin anlegen oder zum Tag wechseln möchten. Am Computer entspräche das einem rechten Mausklick.

❺ **Spreizen** und **kneifen**: Mit dem Pinzettengriff vergrößern oder verkleinern Sie alles mögliche auf Ihrem Display: Fotos, Webseiten, Karten. Spreizen Sie Daumen und Zeigefinger, um ganz nahe ranzukommen, und kneifen Sie die Finger zusammen, um wieder herauszuzoomen. Bei Samsung- und HTC-Geräten holt Ihnen der Kniff auf dem Home-Bildschirm eine Übersicht aller Home-Bildschirme auf den Schirm.

❻ **Bewegen**: Es gibt nicht nur Gesten, die Sie auf dem Display ausführen, sondern auch solche, bei denen Sie das Gerät selbst bewegen. Vor allem Spiele nutzen den Neigungssensor. Bewegen Sie eine Kugel durch das Labyrinth, oder lenken Sie einen Rennwagen durch Neigen in alle Richtungen. Schütteln Sie Ihr Smartphone, um mit virtuellen Würfeln zu spielen.

Spiel mit der Physik

Android-Smartphones bilden die Physik natürlicher Objekte nach. So werden Listen beim Anschieben schneller, werden dann langsamer und federn sogar zurück, wenn sie, am Ende angelangt, »anstoßen«.

Das ist keine Spielerei der Programmierer, sondern macht die Bewegungen auf dem Gerät tatsächlich spürbar. Einigen Android-Phones merkt man an, welche Vorbilder sich ihre Gestalter bei der Oberfläche genommen haben. Besonders Samsung hat sich bei der Anpassung seiner TouchWiz-Oberfläche von Apples Smartphone inspirieren lassen und die vielleicht schönste Oberfläche für Android entwickelt, dicht gefolgt von HTC Sense. Das kann Ihnen nur recht sein.

Perfekt tippen auf dem Touch-Screen

Die meisten Android-Phones besitzen keine echte Tastatur. Stattdessen blenden sie eine vollständige QWERTZ-Tastatur ein, wenn sie benötigt wird. Selbst eingefleischte Handytasten-Tipper sind der Magie der virtuellen Tastatur erlegen. Hier sind meine gesammelten Zaubertricks, mit denen Sie garantiert schneller tippen als auf Ihrem Tastentelefon.

❶ **Eine Hand hält, die andere tippt**. Längere Texte schreiben sich ganz entspannt, wenn Sie das Telefon in einer Hand halten und mit der anderen tippen.

❷ **Finger hoch, Zeichen drauf**. Die erste Regel des berührungsempfindlichen Displays lautet: Die Eingabe ist dann abgeschlossen, wenn Sie den Finger vom Glas nehmen. Welches Zeichen ausgewählt wird, sehen Sie vergrößert über Ihrem Finger. Haben Sie statt dem e das r getippt? Wischen Sie einfach zum richtigen Buchstaben, und lassen Sie erst dann los.

❸ **Den Bildschirm im Blick**: Während Sie schreiben, schlägt das eingebaute Wörterbuch ständig vollständige Worte vor. Ist das Wort, das Sie schreiben möchten, erkannt, tippen Sie einfach ein Leerzeichen (oder ein Satzzeichen), und Android setzt es ein. (Diese automatische Wortvervollständigung lässt sich in den Einstellungen abschalten.)

❹ **Lange drücken für Umlaute**: Ä, Ü und andere landestypische Zeichen haben keine eigenen Tasten. Sie erscheinen, wenn Sie **lange** auf den Buchstaben **drücken**, der mit Pünktchen, Häkchen oder Strichen versehen werden soll.

❺ **Zahlen ganz oben**. Die Zahlen finden Sie in der oberen Reihe. Sie erscheinen nach langem Drücken neben den Sonderzeichen der Buchstaben in der obersten Tastaturreihe.

❻ **Auf dem Punkt**. Die wichtigsten Satzzeichen finden sich auf der Punkt-Taste. Drücken Sie lange für alle Satzzeichen und den Klammeraffen (@).

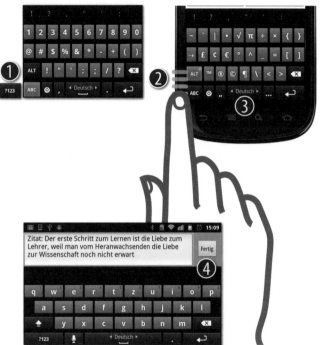

Noch mehr Tipps zum Touch-Screen-Tippen

❶ ?123 für Zahlen und Zeichen. Alles, was kein Buchstabe ist, finden Sie hinter dieser Taste. Die ALT-Taste bringt auch die seltensten Zeichen auf den Schirm. Zurück geht's mit **ABC**.

❷ Sonderzeichen in einem Zug. Brauchen Sie schnell mal eine eckige Klammer? Tippen Sie **?123**, ziehen Sie den Finger auf **ALT** und dann auf die eckige Klammer. Lassen Sie dann die Taste los, und das Zeichen sitzt.

❸ Zweimal Leer = Punkt: Tippen Sie am Satzende zweimal die Leertaste. Android setzt einen Punkt und ein Leerzeichen. Schon tippen Sie den nächsten Satz.

❹ Drehen und Tippen: Daumentipper schwören drauf. So wie das Zehnfingerschreiben am Desktop ist die Zwei-Daumen-Methode langjährigen Kleincomputerbenutzern tief ins Unterbewusstsein gebrannt. Eine 90-Grad-Drehung bringt das gerade ausgewählte Textfeld und eine extrabreite Tastatur aufs Display. Bei Geräten mit besonders kleinen Bildschirmen ist dies manchmal der einzige Weg zur vollständigen Tastatur.

❺ Cursor zum Anfassen: Mit den Fingerspitzen trifft man nicht immer genau die Stelle, an der man eine Korrektur vornehmen möchte. Deshalb schenkt Android Ihnen größere Anfasser, mit denen sich die Einfügemarke präzise verschieben lässt. Diese Cursor sehen unterschiedlich aus, funktionieren aber ähnlich. Manche Geräte zeigen auch eine Lupe, wenn Sie lange drücken. Das ist noch praktischer. Probieren Sie es aus.

❻ Doppeltipp für das ganze Wort: Zwei kurze Tipps auf ein Wort wählen es aus. Mit den zwei Anfassern können Sie noch mehr Text auswählen. Tippen Sie auf die Auswahl, um sie zu kopieren oder auszuschneiden.

❼ Parlez You Android? Android kennt viele Sprachen. Wählen Sie Ihre Lieblingssprachen in den Einstellungen. Ein Strich über die Leertaste wechselt Tastaturlayout und Sprache des Wörterbuchs.

Apps starten	
Befehl	**Aktion**
Suche-S	Browser
Suche-L	Kalender
Suche-C	Kontakte
Suche-E	E-Mail
Suche-G	Google Mail
Suche-M	Maps
Suche-S	SMS/MMS
Suche-P	Musik
Suche-Y	YouTube

Textbefehle	
Befehl	**Aktion**
SHIFT-ALT-U-A	Ä
Shift-Alt-U-O	Ö
Shift-Alt-U-U	Ü
Shift-Alt-S	ß
Alt-A	Tabulator
ALT - Leertaste (SYM)	Symbolpalette einblenden ({}[]®ç)
ALT-Links-/Rechts-Pfeil	Cursor an den Anfang/ an das Ende einer Zeile bewegen
ALT-Oben- oder Unten-Pfeil	Cursor an den Anfang oder an das Ende des Texts bewegen (Home/End-Taste)
ALT-Delete	Ganze Zeile löschen
SHIFT-Pfeiltasten	Text in der gewünschten Richtung auswählen

Kurzbefehle im Browser	
Befehl	**Aktion**
Menü-A	Lesezeichen hinzufügen
Menü-D	Gehe zu Downloads
Menü-E	Text auswählen
Menü-F	In der Seite suchen
Menü-G	Seiteninformationen anzeigen
Menü-H	Verlauf anzeigen
Menü-J	Zurück
Menü-K	Vorwärts
Menü-O	Herauszoomen (kleiner)
Menü-I	Hereinzoomen (größer)
Menü-P	Voreinstellungen aufrufen
Menü-R	aktuelle Seite neu laden
Menü-S	Seite weitergeben
Menü-V	Gespeicherte Seiten aufrufen
Shift-Leertaste	Seite nach oben
Leertaste	Seite nach unten

Kurzbefehle in Google Mail	
Befehl	**Aktion**
R	Nachricht beantworten (nur Sender)
A	Nachricht beantworten (Alle)
Y	Nachricht archivieren
Menü-C	Neue E-Mail
Menü-U	Posteingang aktualisieren

Eine fest eingebaute Tastatur clever nutzen

Besitzt Ihr Smartphone eine fest eingebaute Tastatur, so hat diese wahrscheinlich ein deutsches Layout, auch QWERTZ genannt, nach den ersten Zeichen in der obersten Reihe (Engländer und Amerikaner nutzen QWERTY). Arbeiten Sie schon mit einem Notebook-Computer, wird Ihnen das Tippen mit Android sicher nicht schwerfallen. Die Bedienung ist ähnlich.

❶ Die Tastatur ist mehrfach belegt: Mit der ALT-Taste aktivieren Sie die blau gedruckten Zeichen auf der Tastatur (Zahlen, Satzzeichen). Bei HTC-Geräten heißt die ALT-Taste FN, und die Zeichen sind weiß.

❷ OK entspricht der Enter-Taste.

❸ Mit den Pfeiltasten bewegen Sie den Cursor im Text nach links und rechts sowie nach oben und unten.

❹ Umlaute lassen sich genauso eingeben wie auf der virtuellen Tastatur: Halten Sie das A gedrückt, bis auf dem Display eine Palette erscheint. Tippen Sie dort auf das Ä. Die anderen Umlaute erhalten Sie auf die gleiche Weise.

Ist Ihnen auch das zu viel, setzen Sie die diakritischen Punkte mit SHIFT-ALT-U (wie Umlaut) über jeden Vokal. Ein Ä tippen Sie also mit SHIFT-ALT-U-A (alle Tasten nacheinander drücken).

Und wenn die Finger sowieso schon auf der Tastatur liegen, können Sie auch gleich einige weitere Funktionen steuern. Auf der gegenüberliegenden Seite finden Sie ein paar interessante Kurzbefehle.

Daumen hoch für Vielschreiber

Ein Freund von mir schreibt seit über 15 Jahren die meisten seiner Artikel und Bücher auf Tastaturen, die kleiner sind als eine 100-Gramm-Tafel Schokolade. Die Namen der unterschiedlichen Geräte kennen meist nur noch die älteren Computernerds (sagt Ihnen PSION etwas?), aber ihm beim Daumentippen zuzusehen ist eine Freude.

Sprechen statt Tippen

Spracherkennung? Auf dem Telefon? Das funktioniert auf dem Computer nur mit teurer Spezialsoftware und mit mindestens zwei Stunden Training (ich hab's ausprobiert). Und wenn Sie dann auch noch in verschiedenen Sprachen Text eingeben möchten, greifen Sie lieber zur Tastatur.

Aber Android ist anders. Denn Android schickt Ihr gesprochenes Wort zum riesig großen Google-Übersetzungsserver ins Internet. Dieser übersetzt Ihr gesprochenes Wort in Maschinentext und schickt es zurück an Ihr Gerät. Und weil das außer Ihnen noch ungefähr 23 Millionen anderer Menschen machen, lernt dieser Übersetzungsdienst sekündlich dazu. Probieren Sie es mal aus. Ein paar Anwendungsbeispiele gefällig? Sie könnten Ihre Einkaufsliste vor dem Kühlschrank diktieren, eine SMS schreiben, ohne hinzusehen, oder auch ein gerade aufgeschnapptes Zitat für immer in Evernote festhalten, so wie hier:

❶ Tippen Sie auf das Mikrofonsymbol der Tastatur.

❷ Sprechen Sie jetzt Ihren Text (Sie können auch Punkt und Komma verwenden).

❸ Nach kurzer Zeit erscheint Ihr gesprochener Text auf dem Display. Eventuelle Korrekturen nehmen Sie am besten doch mit der Tastatur vor.

Frag Google

Wahrscheinlich ist es Ihnen schon aufgefallen: Neben dem Google-Suchfeld ist im Browser oder im Widget auf dem Home-Bildschirm ein kleines Mikrofon zu sehen ❹. Tippen Sie darauf, um Ihre Google-Suche zu diktieren. Ich kenne Menschen, die schon nicht mehr wissen, wann sie das letzte Mal unterwegs einen Suchbegriff getippt haben.

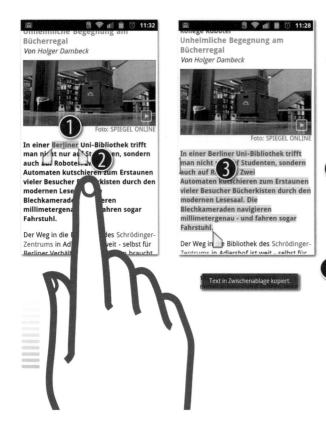

Text kopieren und einsetzen

Das Kopieren und Einsetzen ist die Grundlage unserer Remix-Kultur – und zum Glück im Android-System fast überall verfügbar, zum Beispiel im Browser. So bereichern Sie Ihren Text um Zitate:

Text aus dem Browser kopieren:

❶ Drücken Sie lange auf die Stelle im Text, die Sie kopieren möchten, bis die Textauswahlmarken unter Ihrem Finger erscheinen.

❷ Das ausgewählte Wort wird automatisch hervorgehoben. Ziehen Sie jetzt die Auswahlmarken in beide Richtungen, bis der gewünschte Text vollständig ausgewählt ist.

❸ Streichen Sie nach oben oder unten, um Text zu markieren, der sich ober- oder unterhalb des sichtbaren Displays befindet. Tippen Sie auf die Auswahl, um den Text in die Zwischenablage zu kopieren.

Text im Notizblock einfügen

❹ Öffnen Sie eine Notiz im Notizblock (ich verwende Flick Note), und wählen Sie die Stelle aus, an der Ihr Text erscheinen soll.

❺ Drücken Sie lange auf eine freie Stelle, bis das Aktionsmenü erscheint. Wählen Sie Einfügen.

❻ Der Text wird in Ihre Notiz eingefügt.

Unterschiedliches Aussehen – gleiche Funktionen

Die Einfüge- und Auswahlmarken sehen bei jedem Hersteller anders aus. Sie funktionieren jedoch alle auf ähnliche Weise.

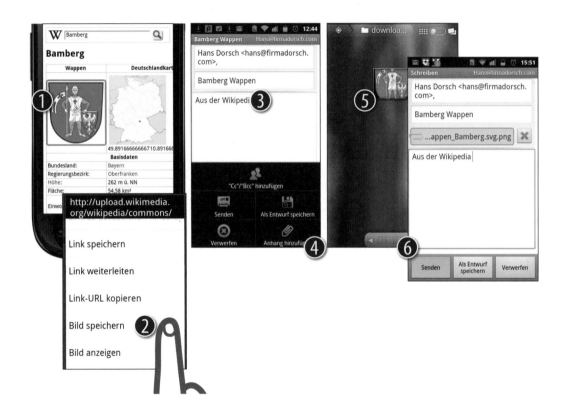

Bilder von einer App in die andere kopieren

Anders als Text können Sie ein Bild nicht mit Kopieren und Einsetzen von einer Anwendung in die andere transportieren. Der kleine Umweg führt über den Speicher des Telefons:

❶ Tippen und halten Sie das Bild, das Sie kopieren möchten. Ich möchte gerne das Wappen der Stadt Bamberg haben.

❷ Wählen Sie im Aktionsmenü Bild speichern. Das Bild wird im Bilderordner auf Ihrem Gerät gespeichert.

❸ Wechseln Sie in eine andere App, hier E-Mail, und erstellen Sie eine neue Nachricht.

❹ Wählen Sie Menü → Anhang hinzufügen, und öffnen Sie die Galerie.

❺ Wählen Sie das Bild aus, das Sie eben kopiert haben. Sie finden es im Ordner Download. Tippen Sie darauf, um es auszuwählen.

❻ Das Bild ist jetzt als Anhang gesichert. Senden schickt es an den Empfänger.

Andere Dateitypen downloaden

Sie können nicht nur Bilder downloaden, sondern auch alle anderen Dateiformate (PDF, Word etc.). Sogar ganze Webseiten lassen sich als HTML-Dateien speichern. Alle werden auf Ihrer SD-Karte oder im USB-Speicher Ihres Geräts abgelegt. Eine übersichtliche Liste finden Sie im Browser unter Menü → Mehr → Downloads.

Weitergeben – teilen Sie Ihre Inhalte mit anderen

So gut wie alles, was Sie auf Ihrem Smartphone sehen, hören oder lesen, können Sie auch weitergeben – entweder um es selbst woanders zu nutzen oder um anderen eine Freude zu machen.

❶ **Kontaktdaten weitergeben**: Rufen Sie einen Kontakt auf, den Sie weitergeben möchten. Tippen Sie dann Menü → Weitergeben. Das Menü öffnet sich.

❷ Wählen Sie Google Mail aus der Liste. Sie nutzen Mail als Kanal oder Medium zum Teilen.

❸ Die Kontaktdaten werden als VCF-Datei an die Mail angehängt. Dieses Format verstehen so gut wie alle aktuellen Adressbücher, Windows, Mac, Android und iPhone.

Och, wie süß, kann ich das Bild haben? Geben Sie Ihre Katzenbilder einfach über ganz verschiedene Kanäle weiter. Sie müssen das Blättern in Ihren Fotos nur ganz kurz unterbrechen.

❹ **Foto an Facebook schicken**: Öffnen Sie ein Foto in der Galerie. Drücken Sie lange auf das Bild, bis die Taste Weitergeben erscheint.

❺ Wählen Sie Facebook aus dem Menü. (Wenn Sie Facebook nicht installiert haben, können Sie auch die klassische E-Mail verwenden.)

❻ Die Facebook-App mit Ihrem Bild erscheint. Kommentieren Sie es und tippen Sie dann auf Hochladen.

❼ Nach kurzer Zeit ist Ihr Foto in der Facebook-App zu sehen. Und, sehen Sie mal, da können Sie es schon wieder teilen (also weitergeben).

Zu viele Optionen im Menü?

Viele Anwendungen bieten sich als Partner für die Weitergabe an. Das ist praktisch. Tauchen in Ihrem Weitergeben-Menü aber zu viele Optionen von Apps auf, die Sie gar nicht nutzen, sollten Sie die dazugehörige App einfach löschen. Wie das geht, lesen Sie in Kapitel 4.

KAPITEL 3 | Ihre Daten unterwegs und online – mit Google, Exchange und anderen

Sie rufen E-Mails am Computer mit Outlook ab, sammeln Telefonnummern auf dem Handy, schreiben Adressen von Hand in Ihr Adressbuch und führen auch Ihren Kalender noch auf Papier. Dann sind Ihre Daten auf vier verschiedene Orte verteilt.

Mit Ihrem Android-Smartphone können Sie all diese Daten in einem Gerät immer dabei haben – und gleichzeitig überall. Denn mit den richtigen Onlinediensten und Werkzeugen für Ihren Computer bleiben Ihr Android und Ihr Computer immer auf dem gleichen Stand:

- Verbinden Sie Ihr Google-Konto mit dem Smartphone.
- Greifen Sie auch unterwegs auf die Exchange-Dienste Ihres Unternehmens zu.
- Gleichen Sie Ihr Smartphone direkt mit dem Computer ab.
- Nutzen Sie Googles Webdienste zum Abgleich Ihrer elektronischen Geräte.

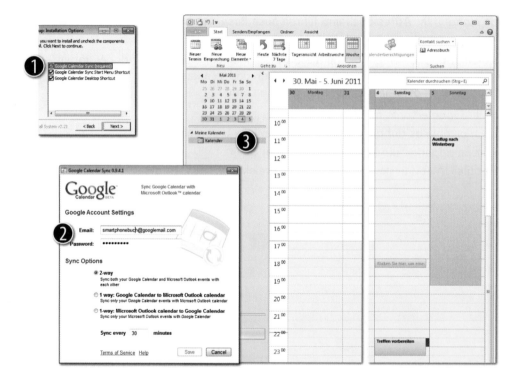

Google Mail, Kalender und Kontakte mit Outlook abgleichen

An manche Dinge gewöhnt man sich mit der Zeit, obwohl sie am Anfang ziemlich umständlich erscheinen. Dazu gehören der aufrechte Gang, das Essen mit Messer und Gabel und die Verwaltung von E-Mails, Adressen und Terminen mit Microsoft Outlook. Bei Letzterem gehen die Android-Entwickler von Google davon aus, dass Sie Ihre Daten entweder im Web oder auf dem Smartphone bearbeiten. Es geht aber auch hervorragend in Outlook. Ich zeige es Ihnen mal.

Outlook-Kalender mit *Google Calendar Sync* abgleichen

❶ Installieren Sie Google Calendar Sync auf Ihrem PC. Sie finden es bei Google unter www.google.com/sync/pc.html. Nach der Installation startet das Programm automatisch.

❷ Geben Sie im Einstellungsfenster Ihre Google-Kontodaten ein. Wählen Sie dann aus, wie Sie den Kalender synchronisieren möchten: Hier ist 2-way (in beide Richtungen) ausgewählt, damit Einträge in Outlook zu Google und Einträge von Google in Outlook landen. Der Abgleich findet alle 30 Minuten automatisch statt.

❸ Nur der Hauptkalender in Google wird abgeglichen. Tragen Sie also Ihre wichtigen Termine dort ein.

Exchange-Kalender zusätzlich anzeigen

Nutzen Sie Exchange? Dann wird dieser Kalender ebenfalls in Outlook angezeigt – und auf Ihrem Android, wenn Sie Ihr Konto einrichten.

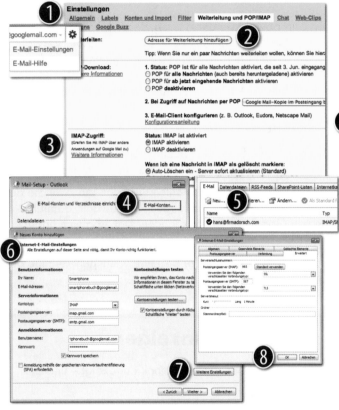

Einen Google Mail-Zugang mit IMAP einrichten

Google Mail nutzt den IMAP-Standard und kann deshalb praktisch über jedes E-Mail-Programm abgefragt werden – natürlich auch über Outlook. So zeigen Sie Ihre Mails in Outlook an:

❶ Melden Sie sich im Web unter mail.google.com an. Wählen Sie oben rechts die E-Mail-Einstellungen.

❷ Gehen Sie zum Punkt Weiterleitung und POP/IMAP.

❸ Wählen Sie im Bereich IMAP-Zugriff den Punkt IMAP aktivieren. Wählen Sie Einstellungen sichern, wenn Sie fertig sind.

Jetzt legen Sie unter Windows ein E-Mail-Profil an:

❹ Beenden Sie Outlook, und öffnen Sie Systemsteuerung → Benutzerkonten und Jugendschutz → E-Mail (in Windows 7). Klicken Sie dort auf E-Mail-Konten …

❺ Klicken Sie auf Neu und wählen Sie im nächsten Fenster E-Mail-Konto. Wählen Sie dort Serverein-stellungen oder zusätzliche Servertypen manuell konfigurieren. Klicken Sie dann auf Weiter.

❻ Wählen Sie im nächsten Schritt Internet-E-Mail. Jetzt gelangen Sie zu dem Eingabefenster, das Sie benötigen. Geben Sie hier folgende Daten ein: Kontotyp: IMAP, Posteingangsserver: imap.gmail.com, Postausgangsserver: smtp.gmail.com. Geben Sie dann Ihre persönlichen Google-KontoDaten ein.

❼ Klicken Sie auf Weitere Einstellungen, um die Servereinstellungen festzulegen.

❽ Im Reiter Erweitert: Posteingangsserver: 993 mit SSL-Verschlüsselung, Postausgangsserver: 587, TLS-Verschlüsselung. Im Reiter Postausgangsserver: Der Postausgangsserver (SMTP) erfordert eine Authentifizierung. Verwenden Sie sonst die gleichen Einstellungen wie für den Posteingangsserver. Klicken Sie auf OK, um die Eingaben zu übernehmen, und dann auf Weiter. Schließen Sie die Einrichtung mit Fertig stellen ab. Ihr Google Mail-Konto wird jetzt in Outlook angezeigt (❾).

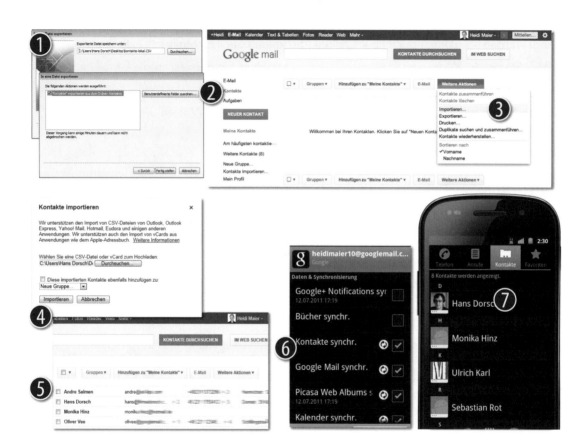

Kontakte in das Google-Konto importieren

Egal, wo Ihre Kontakte bisher verwaltet wurden, zum genialen Online-Abgleich müssen Sie zu Google ins Adressbuch. Wie das geht? Ganz einfach über Export und Import.

So gut wie jedes Kontaktprogramm unterstützt zwei Formate: kommagetrennte Werte (CSV, Comma-Separated Values) und vCard (.vcf, vCard file). Wenn Sie Dateien in diesen Formaten ausgeben können, kriegen Sie sie auch in Android rein. Wenn Ihr Programm .vcf-Dateien ausgeben kann, verwenden Sie diese. Dann werden auch Fotos übertragen, die Sie zu Ihren Kontakten gespeichert haben.

Der Export

❶ Exportieren Sie Ihre Adressdaten in eine Textdatei, in diesem Fall die Datei kontakte-lokal.csv. (In Outlook gehen Sie dazu über Datei → Öffnen → Export/Import.)

Kontakte in Google Mail importieren

Google Mail unterstützt viele Importformate, selbstverständlich auch Text in Tabellenform, also .csv.

❷ Öffnen Sie Google Mail im Browser unter mail.google.com. Klicken Sie links in Kontakte (hier ist noch kein Kontakt eingetragen).

❸ Wählen Sie rechts aus dem Menü Weitere Aktionen den Punkt Importieren …

❹ Wählen Sie die exportierte Datei aus, und klicken Sie auf Importieren. Nach Abschluss des Imports erhalten Sie eine Bestätigung. (Hier sind 7 Kontakte importiert worden.)

❺ Ihre Kontakte sind jetzt ordentlich sortiert online.

Kontakte auf dem Telefon anzeigen

❻ Öffnen Sie an Ihrem Smartphone die Einstellungen → Konten & Synchronisierung. Wählen Sie Ihr Google-Konto aus. Aktivieren Sie dort den Punkt Kontakte synchr. (Aktivieren Sie auch alle anderen Punkte, um Kalender und Mail abzugleichen.)

❼ Ihre Kontakte werden jetzt auf dem Telefon angezeigt.

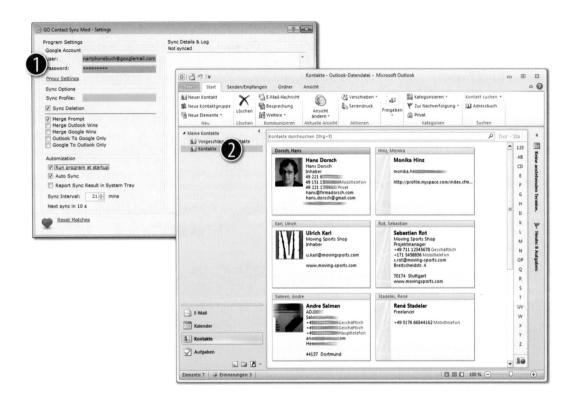

Kontakte mit GO Contact Sync Mod abgleichen

Installieren Sie die Anwendung GO Contact Sync Mod. Die Anwendung startet automatisch. Sie erhalten sie kostenlos unter www.googlesyncmod.sourceforge.net. Die Software ist Open Source und kostenlos.

❶ Starten Sie das Programm, und geben Sie Ihre Google-Kontodaten ein. Die Voreinstellungen sind sehr praxisgerecht und müssen nicht verändert werden: Sync Deletion löscht Kontakte, die Sie auf Ihrem Smartphone löschen, auch in Outlook, und Merge Prompt fragt nach, welche Version eines Eintrags Sie speichern möchten, wenn er bei Google und in Outlook geändert wurde. Setzen Sie dann noch unter Automization die Haken bei Run program at startup und Auto Sync, damit das Programm beim Computerstart geladen wird und automatisch in festgelegten Zeitabständen die Kontakte abgleicht.

❷ Ihre Kontakte werden ab jetzt mit dem Web und Ihrem Android-Phone abgeglichen.

Backup inklusive

Ist es Ihnen aufgefallen? Ihre Daten sind jetzt an mindestens drei Orten abgelegt. Wenn Ihr Smartphone verloren geht und zur gleichen Zeit auch noch Ihr PC Schwierigkeiten macht, sind alle Kontakte immer noch in Ihrem Google-Konto im Web zu finden. Sie finden sie in Google Mail (mail.google.com) unter Kontakte. Und wenn ein Kontakt im Web und auf Ihren Geräten gelöscht ist, können Sie Ihre Kontaktliste auf einen beliebigen Zeitpunkt innerhalb der letzten 30 Tage zurücksetzen.

Ihr Exchange-Konto mit Android verbinden

Android unterstützt Microsoft Exchange-Server. Das heißt, Sie können Ihre Firmen-E-Mail, -Kontakte und -Kalender ohne zusätzliche Programme nutzen – entweder ausschließlich oder zusätzlich zu Ihren privaten Daten, alles auf einem Gerät. Exchange ist auf Ihrem PC sicher schon eingerichtet, deshalb zeige ich hier, wie Sie Exchange auf dem Smartphone einrichten.

❶ Öffnen Sie Einstellungen → Konten & Synchr., und wählen Sie dort Konto hinzufügen. Wählen Sie dann Geschäftlich.

❷ Geben Sie im nächsten Schritt die E-Mail-Adresse und das Passwort Ihres Exchange-Kontos ein, und tippen Sie auf Weiter.

❸ Unterscheidet sich Ihr Benutzername von Ihrer E-Mail-Adresse, geben Sie ihn im nächsten Schritt ein. Das Feld Server verlangt die Adresse des Exchange-Servers (Ihr Provider oder Ihr Administrator nennet sie Ihnen gerne). Die meisten Server verwenden eine Sichere Verbindung. Setzen Sie einen Haken vor die Option, und tippen Sie auf Weiter. Das Feld Domäne können Sie meist leer lassen. Android verbindet sich jetzt mit dem Server und richtet das Konto ein. Treten Probleme auf, können Sie immer zurückkehren und die Einstellungen ändern.

❹ Exchange-Server können Inhalte auf Geräten aus der Ferne löschen und das ganze Gerät zurücksetzen, wenn Sie es verlieren. Dazu müssen Sie einmalig Ihre Erlaubnis geben. Tippen Sie auf OK.

❺ Die Einstellungen legen fest, welche Daten mit Exchange abgeglichen werden und wie oft E-Mails abgerufen werden. E-Mail-Push, Kontakte und Kalender-Abgleich sind Standard. Tippen Sie auf Weiter.

❻ Exchange richtet einen Geräteadministrator für die Sicherheitsfunktionen ein. Tippen Sie auf Aktivieren. Der Administrator wird unter Einstellungen → Standort & Sicherheit angezeigt. Dort können Sie ihn auch löschen.

Das Smartphone mit dem Computer verbinden

Ihr Android-Phone lebt im Internet. Dennoch können Sie es ganz bodenständig über ein USB-Kabel mit Ihrem Computer verbinden. Das kann praktisch sein, wenn Sie größere Datenmengen laden möchten, zum Beispiel Ihre Musiksammlung oder Videos für die nächste Reise. Am Mac funktioniert das ohne zusätzliche Software, unter Windows benötigen Sie möglicherweise spezielle Gerätetreiber.

❶ Verbinden Sie Ihr Smartphone über ein Micro-USB-Kabel mit dem Computer (hier einem PC). In der Statuszeile erscheint das USB-Symbol. Ziehen Sie mit dem Finger nach unten, um das Benachrichtigungsfeld zu öffnen.

❷ Tippen Sie auf USB-Verbindung.

❸ Wählen Sie Speicherkartenzugriff. (Manchmal finden Sie auch nur die Option USB-Speicher aktivieren.) Die Speicherkarte wird jetzt am Computer als externer Speicher geladen.

❹ Die SD-Karte können Sie wie einen USB-Stick oder eine externe Festplatte nutzen. Android und Apps speichern darauf Daten, die Sie nicht löschen sollten. Den Ordner dcim kennen Sie vielleicht von Ihrer Digitalkamera.

❺ Legen Sie auf der Karte am besten einen Ordner an, den Sie zum Austausch verwenden – bei mir heißt er hansdorsch_ordner. Kopieren Sie alles hinein, was Sie unterwegs dabei haben möchten: Auf dem Smartphone legen Sie Daten, die Sie austauschen möchten, ebenfalls in diesen Ordner.

❻ Werfen Sie die SD-Karte aus, bevor Sie das USB-Kabel Ihres Smartphones abziehen. Klicken Sie mit der rechten Maustaste auf das Speichermedium, hier Wechseldatenträger (F), und wählen Sie Auswerfen. Ziehen Sie danach das USB-Kabel von Ihrem Gerät ab.

USB-Verbindung trennen zum Musikhören

Während Ihr Smartphone als Massenspeicher am Computer angeschlossen ist, kann es nicht auf die SD-Karte zugreifen. Musikdateien und Fotos, die auf der Karte gespeichert sind, können Sie dann nur am Computer nutzen.

Abgleich mit Herstellersoftware für den Computer

Kalender, Kontakte, Musik und Videos können Sie auch ohne Google-Konto mit Ihrem Computer abgleichen, und zwar über ein Kabel und die passende Software des Herstellers. Hier ist eine aktuelle Auswahl:

❶ **Samsung KIES**: Kontakte und Kalender mit Outlook synchronisieren; Musik, Fotos, Videos synchronisieren. Windows und Mac (Beta): http://bit.ly/rfkfXN.

❷ **HTCSync**: Kontakte und Kalender mit Outlook synchronisieren; Musik, Fotos, Videos synchronisieren. Nur für Windows: http://bit.ly/rfkfXN.

❸ **SonyEricsson MediaSync**: Musik, Fotos und Videos synchronisieren. Für Windows und Mac.

❹ Motorola **Moto Phone Portal**: Kontakte bearbeiten, Fotos und Videos verwalten (nur Internet Explorer). Kein Download, läuft als Webanwendung auf dem Gerät. Zugriff über WLAN oder USB mit dem Browser. Für alle Computer.

Probieren Sie die Werkzeuge aus, die Ihr Hersteller liefert. Sie sind so unterschiedlich, dass ihre Beschreibung den Rahmen dieses Buchs sprengen würde. In den meisten Fällen kommen Sie allerdings sehr gut ohne diese Werkzeuge aus.

Nutzen Sie iTunes?

Verwalten Sie Ihre Musik mit iTunes? Dann finden Sie in Kapitel 12 ein kleines Werkzeug namens iSyncr, das sich ganz speziell um den Abgleich Ihrer Musik mit Android kümmert.

Sichere Daten und sichere Übertragung bei Google-Diensten

Bei Google sind Ihre Daten sicher aufgehoben. Dafür hat der Konzern ziemlich umfangreiche Sicherheitsrichtlinien erlassen. Hier eine Liste der Maßnahmen:

- Benutzerdaten werden auf Servern in der ganzen Welt gespeichert.
- Anmeldedaten für Kontakte und Kalender werden verschlüsselt über HTTPS übertragen.
- E-Mails werden ebenfalls über HTTPS mit dem IMAP-Protokoll übertragen.
- Google Mail warnt Sie, wenn verdächtige Aktivitäten auf Ihrem Konto geschehen.

Aber Ihre Daten sind nur dann sicher, wenn auch Ihre Zugangsdaten sicher sind. Deshalb sollten Sie auch darauf achten, dass Sie ein sicheres Passwort verwenden und dieses ab und zu ändern.

Die Datenübertragung über das Mobilfunknetz UMTS erfolgt verschlüsselt. Die Gefahr, dass Fremde auf Ihre Daten zugreifen, ist gering, obwohl Hacker ständig versuchen, Sicherheitslücken zu finden. Öffentliche WLAN-Hotspots hingegen übertragen die Daten ungeschützt, und mit der entsprechenden Ausrüstung ist es ein Kinderspiel, übertragene Daten abzufangen und zuzuordnen.

Bei Google werden Ihre privaten Daten (Anmeldungen mit dem authToken, Mails) verschlüsselt übertragen, so dass sie nicht abgefangen werden können.

Datenschutz bei Google

Google stellt interessante Artikel zum Thema Sicherheit bereit. Wenn Sie Zeit haben, lesen Sie mal rein:

- Google Datenschutz-Center: bit.ly/goopriv (Deutsch)
- Google Checkliste für Sicherheit in Google Mail: bit.ly/gmcheck (Deutsch)
- Der Google Transparency Report: www.google.com/transparencyreport (Englisch)

Systemupdate für Samsung-Smartphones am PC mit Samsung Kies

Bei Smartphones von Samsung kann die Systemsoftware nur in Verbindung mit einem PC aktualisiert werden. Sie benötigen dazu einen PC mit Windows und das Softwarepaket Kies von Samsung. So stellen Sie fest, ob ein Update vorhanden ist:

1. Installieren Sie Samsung Kies auf dem PC. Sie erhalten es unter http://www.samsung.de/de/consumer/kies.aspx. Wählen Sie Ihr Gerät aus der Liste, und installieren Sie die Software. Mein Gerät ist das Samsung Galaxy S Super Clear LCD. Die Installation der Software dauert eine Weile.

2. Schließen Sie Ihr Samsung-Smartphone über das Micro-USB-Kabel an. Auf dem Display erscheint die Frage nach der Verbindungsoption. Wählen Sie Kies.

❸ Ihr Smartphone taucht jetzt in der linken Leiste unter verbundene Geräte auf. Hier ist es das Modell GT-I9003. Klicken Sie darauf.

❹ Im Reiter Grundlegende Informationen finden Sie die Firmware-Informationen. In diesem Fall liegt die neueste Version der Firmware vor. Gibt es ein Update von Samsung, folgen Sie an dieser Stelle den Anweisungen zur Installation des Updates.

❺ Lassen Sie alle anderen Einstellungen so, wie sie sind. Setzen Sie den Haken bei Automatisch synchronisieren … nur, wenn Sie Kies zum Synchronisieren Ihrer Daten verwenden.

USB-Anschluss ohne Kies

Android-Smartphones von Samsung lassen sich auch ohne Kies mit dem Computer nutzen. Beim ersten Anschließen an den PC werden die Treiber automatisch geladen. Kies bietet umfangreiche Funktionen zum Abgleich Ihres Gerätes mit dem Computer. Wie Sie Ihr Smartphone via USB mit dem PC synchronisieren, lesen Sie auf der nächsten Seite.

Ein Samsung-Smartphone mit Kies synchronisieren

Wenn Sie Ihre Kontaktdaten und Kalender nicht über das Internet synchronisieren möchten, geht das auch ganz klassisch über Kabel. Nutzen Sie ein Smartphone von Samsung, können Sie zum Abgleich die Software Kies nutzen. So nutzen Sie Kies am PC:

❶ Schließen Sie Ihr Samsung-Smartphone über das Micro-USB-Kabel an. Wählen Sie bei der Frage nach der Verbindungsoption Kies.

❷ Ihr Smartphone taucht jetzt in der linken Leiste unter verbundene Geräte auf. Hier ist es das Modell GT-I9003. Klicken Sie darauf.

❸ Wählen Sie den Reiter Synchronisierung. Hier können Sie auswählen, welche Daten mit dem Computer abgeglichen werden sollen.

❹ Kontakte können Sie mit Microsoft Outlook oder den Windows Kontakten abgleichen. Sind Ihre Daten schon online, sollten Sie diese auch online abgleichen: Google Kontakte mit Android, für Yahoo-Adressen gibt es Yahoo! Mail.

❺ Termine können Sie über Kies nur mit Outlook abgleichen, genau wie die Samsung Memo-App. Setzen Sie den Haken, und stellen Sie, wenn nötig, Details ein.

❻ Auch Musik, Bilder und Videos können Sie über Kies abgleichen. Kies durchforstet dazu Ihren Computer nach passenden Dateien und zeigt diese an. Wiedergabelisten aus iTunes oder dem Windows Media Player lassen sich importieren und zum Synchronisieren nutzen.

❼ Starten Sie den Abgleich mit der Taste Synchronisieren oben rechts. (Damit Kies Ihr Gerät automatisch synchronisiert, wenn Sie es anstecken, setzen Sie im Reiter Grundlegende Informationen den Haken bei Automatisch synchronisieren …)

Kies für den Mac

Seit kurzer Zeit ist eine Beta-Version von Kies für den Mac erhältlich. Die Version für das Samsung Galaxy II finden Sie unter http://bit.ly/kiesmac.

Kontakte von der SIM-Karte importieren

Nur Kontakte, die auf dem Gerät gespeichert sind, werden mit Google synchronisiert und online gesichert. Holen Sie deshalb Ihre Lieblingskontakte von der SIM-Karte in Ihren Telefonspeicher.

❶ Öffnen Sie Ihre Kontakte, drücken Sie die Menütaste und dann Importieren/Exportieren.

❷ Wählen Sie dann Von SIM-Karte importieren. Legen Sie danach fest, in welches Konto die Einträge importiert werden sollen.

❸ Android liest die Einträge aus und zeigt sie als Liste an. Tippen Sie die Einträge an, die Sie speichern möchten, oder wählen Sie Menü → Alle importieren. (Auf meiner Karte sind nur die Einträge des Anbieters gespeichert. Außer den Servicenummern habe ich keine importiert.) Mit der Zurück-Taste beenden Sie den Import.

Ihr Händler hilft gerne

Wollen Sie sich diesen Schritt sparen? Dann bitten Sie doch Ihren Telefonhändler. Wenn Sie ihn fragen, ob er nicht die Telefonnummern von Ihrem alten Handy auf Ihr neues Smartphone übertragen kann, macht er das sicher gerne.

KAPITEL 4 | Das Smartphone mit Apps aus dem Market erweitern

Ohne Apps geht gar nichts. Sie kaufen Ihr Android-Phone, je nach Modell, mit einer mehr oder weniger großen Grundausstattung an Funktionen. Aber genau die passende Lösung für Ihr aktuelles Problem ist wahrscheinlich nicht dabei.

Zum Glück gibt es Apps: kleine Anwendungen, die die Fähigkeiten Ihres Smartphones erweitern. Im Android Market finden Sie Hunderttausende davon – und eine davon kann bestimmt das, was Sie suchen.

Entdecken Sie auf den nächsten Seiten die Welt der Apps:

- Installieren Sie kostenlose Apps aus dem Android Market.
- Kaufen Sie Apps (mit Umtauschgarantie).
- Räumen Sie Ihre Apps auf, und löschen Sie solche, die Sie nicht mehr benötigen.
- Lassen Sie sich interessante Apps empfehlen.

1

Market

2

Shazam ☆☆☆☆☆ KOSTENLOS

Apps Spiele Meine Apps

Empfohlen

WhatsApp Messer KOSTENLOS
WhatsApp Inc. ☆☆☆☆☆

adidas miCoach KOSTENLOS
adidas ☆☆☆☆☆

Chalk Ball 1,49 €
The Pill Tree ☆☆☆☆☆

Seafood Watch KOSTENLOS
Monterey Bay Aquarium ☆☆☆☆☆

barcoo

barcoo

Suche

1 Ergebnis für "barcoo"

barcoo KOSTENLOS
Barcode Scanner ☆☆☆☆☆

q w
a
y x
?123

Shopping

3 Installieren
KOSTENLOS
☆☆☆☆☆

barcoo
Barcode Scanner

Beschreibung

barcoo bietet unabhängige
Produktinformationen. Wir zeigen dir sofort an,
was Du wissen willst:

Mehr

Version 2.5   1,57 MB
>250.000 Downloads 5271 Bewertungen

free € 1.19
Popular

Shopping

Berechtigung
4 OK
☆☆☆☆☆

barcoo
Barcode Scanner

Dieser Anwendung Zugriff erlauben auf:

Hardware-Steuerelemente
Bilder und Videos aufnehmen

Netzwerkkommunikation
Uneingeschränkter Internetzugriff

Ihren Standort
Ungefähr (netzwerkbasierter) Standort
genauer

Telekom Löschen

Aktuell

⚡ **USB-Verbindung**
Zum Kopieren von Dateien zum/vom Computer

Benachrichtigungen

5 ☑ **barcoo**
Erfolgreich installiert 18:11

6 barcoo Bookmarklet Brightest Browser
Taschenlamp

Call a Bike Chrome to commerzban DaysUntil
Phone k Widget

94

Kostenlose Apps aus dem Market laden

Manche Smartphones besitzen einen Barcode-Reader, die meisten jedoch nicht. Daher zeige ich am Beispiel des Universal-Readers barcoo, wie Sie kostenlose Apps auf Ihr Smartphone laden:

❶ Rufen Sie den Launcher vom Home-Bildschirm aus auf, und öffnen Sie den Market.

❷ Suchen Sie eine bestimmte App? Tippen Sie auf die Lupe oben rechts. Ich suche einen Scanner für Barcodes und QR-Codes namens barcoo.

❸ Tippen Sie in den Suchergebnissen auf den Eintrag, um die Details anzuzeigen. Ist die App kostenlos, tippen Sie auf KOSTENLOS, um sie zu laden.

❹ Vor dem Download sehen Sie, auf welche Funktionen die App zugreifen will. Bestätigen Sie die Berechtigungen mit OK.

❺ Der Download wird in der Benachrichtigungsleiste angezeigt. Tippen Sie darauf, um die App gleich zu öffnen.

❻ Die geladene App finden Sie später immer wieder im Launcher.

Berechtigungen und was sie bedeuten

Sie fragen sich vielleicht, warum Apps so viel wissen müssen. Das ist so: Die App barcoo beispielsweise greift auf die Kamera zu, um Bilder aufzunehmen, auf Ihren Standort, um Sie zu lokalisieren, und auf den Internet-Zugang, um die Codes mit der Datenbank abzugleichen. Andere Apps, zum Beispiel Spiele, fragen den Telefonstatus ab, um zu erfahren, wenn Sie angerufen werden. Das Spiel Doodle Jump etwa pausiert dann automatisch und speichert Ihren aktuellen Spielstand. Registriert die App, dass Sie aufgelegt haben, bietet sie Ihnen an, weiterzuspielen.

Ohne Google-Konto läuft gar nichts

Um den Android Market zu nutzen, benötigen Sie ein Google-Konto. Das haben Sie wahrscheinlich schon eingerichtet. Wenn Sie im Market außerdem einkaufen möchten, benötigen Sie ein Google Checkout-Konto. Wie Sie das einrichten, steht auf der nächsten Seite.

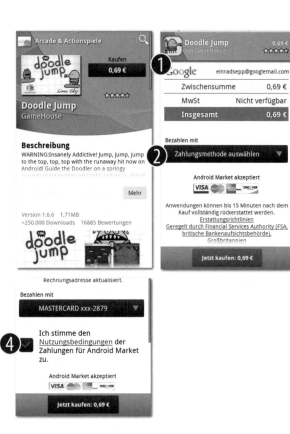

Apps mit Google Checkout im Market kaufen

Um kostenlose Apps aus dem Market zu laden, genügt ein Google-Konto. Wenn Sie eine App kaufen möchten, benötigen Sie aber ein Google Checkout-Konto. Legen Sie Ihre Kreditkarte bereit. Das Konto können Sie gleich am Telefon anlegen.

❶ Das Spiel Doodle Jump gehört auf jedes Telefon. 69 Cent ist der Spaß auf jeden Fall wert. Tippen Sie auf den Preis, um die App zu kaufen. Akzeptieren Sie danach die Berechtigungen mit OK.

❷ Auf der nächsten Seite wählen Sie Ihre Zahlungsmethode aus. Tippen Sie auf Zahlungsmethode auswählen und dann auf Eine Kreditkarte hinzufügen. Eine andere Zahlungsmöglichkeit bietet Google zurzeit nicht.

❸ Geben Sie jetzt Ihre Kreditkartendaten ein. Das ist ein wenig mühsam, aber Sie müssen es nur einmal tun. Die Zifferntastatur erleichtert die Eingabe ein wenig. Tippen Sie zum Abschluss auf Speichern.

❹ Jetzt kommt die Seite, die Sie in Zukunft sofort beim Kauf sehen: Hier bestätigen Sie den Kauf und stimmen den Nutzungsbedingungen zu. Tippen Sie auf Jetzt kaufen: 0,69 €. Im Anschluss startet der Download. (Bezahlung und Download können beim ersten Mal etwas dauern. Haben Sie etwas Geduld.)

Kreditkarte ohne Kreditkarte

Ein Google-Konto kann jeder einrichten, bei Checkout kommen Sie jedoch nur mit Kreditkarte rein. Wenn Sie aber keine Kreditkarte besitzen und sonst ganz gut ohne auskommen (das soll es geben), können Sie sich eine Prepaid-Kreditkarte nur für Einkäufe im Internet anschaffen. Googlen Sie einfach mal danach. Dazu gibt es auch noch virtuelle Kreditkarten wie die (Wire-Card www.mywirecard.de), die bei deutschen Android-Nutzern sehr beliebt ist.

Apps im Market umtauschen

70 Cent mag für manche App nicht viel Geld sein, wenn sie aber auf Ihrem Gerät nicht funktioniert (das kommt vor) oder überhaupt nicht Ihren Vorstellungen entspricht, hätten Sie sich davon doch lieber eine Kugel Eis gekauft (gibt es die noch für das Geld?). Im Android Market können Sie gekaufte Apps zum Glück auch umtauschen – vorausgesetzt, Sie beeilen sich. Denn Sie haben genau 15 Minuten Zeit, Ihr Geld zurückzubekommen.

❶ Öffnen Sie den Market, und kaufen Sie eine App, die Sie interessiert (ich teste das Zeichenprogramm SketchBook Mobile). Tippen Sie auf Jetzt kaufen.

❷ Schauen Sie auf die Uhr. Ab jetzt haben Sie 15 Minuten Zeit zum Umtausch.

❸ Die App wird geladen. Testen Sie die Funktionen, die Ihnen wichtig sind. (Bei dieser App gibt es sogar eine Einführungstour.)

❹ Möchten Sie die App zurückgeben? Wechseln Sie zurück zum Market (Home-Taste lange drücken). Dort sehen Sie auf der Detailseite die Taste Erstatten (ist das Downloadfenster nicht mehr geöffnet, finden Sie die App in Meine Apps). Tippen Sie auf Erstatten. Die App wird sofort deinstalliert. (Auf der Folgeseite können Sie angeben, warum Sie die App zurückgeben möchten, müssen das aber nicht tun.)

❺ Kurze Zeit später finden Sie eine E-Mail mit der Stornierung in Ihrem Posteingang. Es sind keine Kosten angefallen.

Die Umtauschregeln in Kürze

Sie können jede App nur einmal umtauschen. Bei einer zweiten Installation taucht die Taste Erstatten nicht mehr auf. Sollten Sie später Probleme mit einer App bekommen, müssen Sie sich direkt an den Entwickler wenden und die Lösung persönlich klären. Die E-Mail- und Webadresse des Entwicklers finden Sie ganz unten auf der App-Seite im Market.

Apps am Computer kaufen

Alle Apps werden auf Ihrem Smartphone installiert. Das heißt aber nicht, dass Sie dazu Ihr Gerät in die Hand nehmen müssen. Den Market können Sie auch am Computer im Webbrowser nutzen. Apps, die Sie kaufen, schicken Sie einfach an Ihr Phone. Das geht, weil Ihr Google-Konto immer mit Ihrem Android-Phone verbunden ist – über die Cloud.

❶ Rufen Sie im Webbrowser die Adresse market.android.com auf und suchen Sie nach einer App, die Sie installieren möchten. Ich wähle Voice Recorder, ein Aufnahmeprogramm, weil das auf meinem Gerät nicht mitgeliefert wurde. Melden Sie sich am besten schon vorher mit Ihrem Google-Konto an.

❷ Klicken Sie auf Installieren oder Kaufen. Bei Kauf-Apps steht der Preis immer dabei; darunter sehen Sie, ob die App mit Ihrem Gerät kompatibel ist. Bei mir ist das der Fall.

❸ Überprüfen Sie Ihren Download im nächsten Schritt. Wählen Sie dann Ihr Gerät aus dem Menü Senden an …, und klicken Sie auf Installieren.

❹ Sie erhalten eine Bestätigung über den Download im Browser. Die App wird gleichzeitig an Ihr Smartphone geschickt.

❺ Die App wird jetzt auf Ihrem Gerät installiert. Neue Installationen werden in den Benachrichtigungen angezeigt. Von hier aus können Sie die App direkt starten oder, wie alle Apps, im Launcher finden.

Das richtige Google-Konto

Sollten Sie mehrere Google-Konten besitzen, achten Sie darauf, dass Sie sich mit dem Konto anmelden, das Sie auf Ihrem Android-Telefon nutzen. Wie Sie ein Google-Konto einrichten, steht in Kapitel 1, auf Seite 25.

Apps aufräumen und löschen

Apps, die Sie nicht nutzen, stören eigentlich nicht weiter. Aber sie behindern manchmal die Übersicht. Sie begegnen Ihnen als Einträge in Weiterleiten-Menüs oder als Optionen für Verknüpfungen auf dem Home-Bildschirm. Deshalb empfehle ich gelegentliches App-Ausmisten. So geht's:

❶ Tippen Sie auf dem Home-Bildschirm Menü → Apps verwalten.

❷ Tippen Sie dann oben auf den Reiter ganz links, Heruntergeladen (oder Drittanbieter). Hier finden Sie die Anwendungen, die Sie selbst installiert haben.

❸ Tippen Sie auf die App, die Sie nicht mehr verwenden, um die Details anzuzeigen. Hier ist es die Listen-App von Google, die ich kurz getestet habe, aber nicht verwende.

❹ Wählen Sie Deinstallieren, und bestätigen Sie im Anschluss das Löschen. Die App und alle dazugehörigen Daten werden jetzt gelöscht.

Bei Samsung-Geräten geht's wie am iPhone:

❶ Tippen Sie auf Menü auf dem Home-Bildschirm, und wählen Sie Bearbeiten. Alle Apps sind jetzt leicht hervorgehoben. Solche, die Sie selbst installiert haben, zeigen ein kleines Minus-Zeichen oben rechts.

❷ Tippen Sie auf die App, die Sie löschen möchten (hier Skype), und bestätigen Sie die folgende Abfrage mit OK.

Apps jederzeit neu installieren

Wenn Ihnen irgendwann einfällt, dass Sie eine gelöschte App wiederhaben möchten, installieren Sie sie einfach neu aus dem Market. Gekaufte Anwendungen bleiben mit Ihrem Konto verbunden, so dass Sie nicht noch einmal zahlen müssen.

Apps mit dem App Tracker schnell finden und sortieren

Ich installiere manchmal eine ganze Menge Apps am Stück. Später weiß ich gar nicht mehr, wie die eigentlich hießen. Da wäre es doch gut, wenn mir eine App zeigen würde, welche anderen Apps ich zuletzt geladen habe. So eine App gibt es, und sie kann sogar noch ein paar kleine Dinge mehr.

❶ Installieren Sie die App App Tracker aus dem Android Market, und starten Sie sie. Tippen Sie dann auf die +-Taste ganz oben. Sie zeigt die aktuelle Sortierung an.

❷ Sortieren Sie die Apps nach Recently Installed. Die Liste zeigt jetzt alle Apps in der Reihenfolge der Installation an. Für Statistikfreunde interessant sind auch die anderen Optionen: Most Used etwa zeigt die Apps an, die Sie am häufigsten benutzen (bei mir sind das Browser, Musik, Telefon, in dieser Reihenfolge). Viel interessanter ist aber ist aber der Punkt Rarely Used, also die Apps, die Sie nur ganz selten öffnen. Auf diese Weise finden Sie Karteileichen, die unnötig Ihren Speicher belasten und Ihre Menüs verstopfen (siehe vorherige Seite).

❸ Tippen Sie auf eine App, um sie zu starten (Launch) oder zu löschen (Uninstall, für die Karteileichen). Mit Exclude schließen Sie häufig genutzte Apps aus der Liste aus (z.B. Browser, Musik, Telefon), wenn Sie wollen.

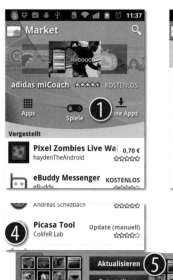

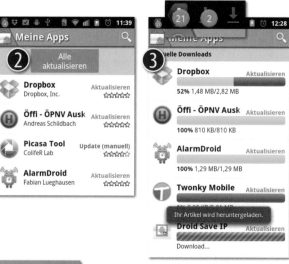

Eigene Apps im Market verwalten und updaten

Alle Apps, die Sie aus dem Market geladen haben, sind mit Ihrem Google-Konto verbunden. So können Sie (relativ) übersichtlich sehen, welche Apps Sie geladen oder gekauft haben und welche in neuer Version vorliegen.

❶ Rufen Sie den Market auf, und wählen Sie oben rechts Meine Apps. Sie gelangen zur Liste Ihrer geladenen Apps.

❷ Wählen Sie Alle aktualisieren, um die verfügbaren Updates für Ihre installierten Apps zu laden.

❸ Alle verfügbaren Updates werden jetzt aktualisiert. Dabei müssen Sie nicht zusehen. Über alle erfolgreichen Updates werden Sie im Statusmenü benachrichtigt.

❹ Wenn sich Berechtigungen beim Update ändern, müssen Sie diese einzeln bestätigen. Dann steht hinter der App Update (manuell), so wie hier beim Picasa Tool. Tippen Sie auf den Eintrag, um die Details anzuzeigen.

❺ Wählen Sie Aktualisieren, um die Berechtigungen anzuzeigen, und dann OK für den Download. Das Update wird jetzt installiert.

❻ Mit der Einstellung Automatische Updates zulassen erhalten Sie Updates sofort, wenn der Entwickler sie bereitstellt. Sie sparen sich den Weg über die Aktualisierung.

App-Übersicht auch im Web

Richtig übersichtlich sehen Sie Ihre Apps im Web. Rufen Sie Ihr Market-Konto am Computer unter market.android.com/account auf. Dort sehen Sie alle Ihre Downloads und können zudem noch Ihre Geräte verwalten. Bei Updates wird in der Regel die vorhandene App mit einer neuen überschrieben.

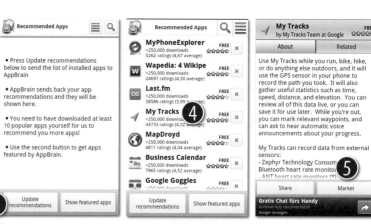
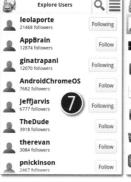

Apps mit AppBrain entdecken

Ach, man kann viel Zeit darauf verwenden, die richtigen Apps zu finden. Und der Android Market ist nicht unbedingt der übersichtlichste Ort, um nach neuen interessanten Tools zu suchen. Am besten ist es doch, einfach mal zu schauen, was die anderen so nutzen:

❶ Installieren und starten Sie AppBrain App Market. Tippen Sie oben rechts auf das Listensymbol für die Liste der heißesten Apps, z.B. die Popular apps in Germany. (Mit der Lupe suchen Sie nach allen Apps.)

❷ Wählen Sie Recommended Apps, um persönliche Empfehlungen zu erhalten.

❸ Tippen Sie im nächsten Schritt auf Update recommendations. Die App schickt dann eine Liste Ihrer installierten Apps zum Server. Dort vergleicht sie sie mit den Downloads anderer Benutzer und den Apps im Market.

❹ AppBrain erstellt eine Liste mit App-Vorschlägen für Sie. Tippen Sie auf eine App, um Details zu erfahren, wie hier zur GPS-App von Google.

❺ Die Taste Market bringt Sie zum Download im Android Market.

❻ Besonders spannend ist die Funktion Explore Users. Melden Sie sich mit Ihrem Facebook-, Twitter- oder Google-Konto an, und erstellen Sie ein AppBrain-Konto.

❼ Wie bei Twitter können Sie bestehenden Kontakten oder, wie hier, populären Nutzern folgen. Tippen Sie dazu auf Follow.

❽ Dies ist die App-Liste des bekannten Technikautorens Jeff Jarvis. Nicht uninteressant, finde ich.

Womit verdient AppBrain Geld?

AppBrain und andere Anbieter finanzieren sich durch Werbung: mit Google-Anzeigen, aber noch besser mit prominent platzierten Empfehlungen, für die Anbieter wiederum Geld zahlen. Hier heißen sie Featured Apps.

KAPITEL 5 | Telefonieren mit Komfort

Wie heißt dieses elektronische Gerät, mit dem man von beinahe überall mit beinahe jedem sprechen kann? Handy, Mobiltelefon? Ihr Android-Gerät heißt Smartphone, weil es Sie beim Telefonieren mit smarten Funktionen unterstützt. Auf dem großen Bildschirm lassen sich private und geschäftliche Kontakte einfach besser finden und organisieren, und wenn zusätzlich zum Klingeln das Foto des Freundes angezeigt wird, gehen Sie doch gleich viel lieber ran.

Neben dem Android erscheinen Festnetztelefone und Handys wie Relikte aus dem Technikmuseum: mit viel zu kleinem Bildschirm und viel zu vielen Tasten, umständlich zu bedienen und wenig flexibel. Auf den nächsten Seiten sehen Sie, warum Sie nie wieder zu Ihrem alten Telefon zurückkehren wollen.

- Telefonieren Sie komfortabel wie nie mit den Komfortfunktionen von Android.
- Nutzen Sie Zubehör ganz einfach.
- Finden Sie Telefonnummern und Adressen.
- Telefonieren Sie günstig und flexibel mit VoIP und Skype.

Anrufen

Ihr Smartphone ist möglicherweise das leistungsfähigste Telefon, das Sie bisher hatten. Dabei ist das Telefon auch nur eine App auf Ihrem – genau – Telefon.

Zum Telefonieren brauchen Sie Telefonnummern. Diese und sämtliche anderen Informationen verwaltet Android zentral in den Kontakten. Weil diese mit Ihrem Computer und dem Internet abgeglichen werden, haben Sie Ihr Adressbuch immer zur Hand.

Anrufen aus dem Ziffernblock

❶ Tippen Sie auf das Symbol Telefon. Sie finden es meistens unten links auf dem Launcher am Home-Bildschirm. Das Telefonprogramm öffnet sich.

❷ Tippen Sie in der App auf Telefon. Eine vollständige Standard-Telefontastatur erscheint, mit Ziffern, Buchstaben und Steuertasten, wie beim echten Vorbild. Also, Nummer tippen (immer mit Vorwahl), und los.

❸ Die grüne Hörertaste startet den Anruf. Die kleine Anrufbeantwortertaste bringt Sie direkt zu Ihrer Mailbox.

Anrufen aus der Anrufliste

❹ Öffnen Sie die Anrufe. Jetzt sehen Sie alle Anrufe, die Sie erhalten, verpasst oder getätigt haben, in der Übersicht. Dabei sind ausgehende Anrufe grün, eingehende Anrufe blau und verpasste Anrufe rot mit einem kleinen Winkel.

❺ Mehrere Anrufe des gleichen Kontakts werden dabei zusammengefasst. Tippen Sie auf den Erweiterungspfeil, um alle anzuzeigen. Ist Ihnen die Liste zu lang, tippen Sie auf Menü → löschen, um sie auf null zurückzusetzen.

❻ Tippen Sie auf einen Eintrag, um Optionen zum Kontakt anzuzeigen, oder tippen Sie auf den grünen Hörer, um sofort die Nummer anzurufen.

Anrufen (Fortsetzung)

Kontakt suchen und anrufen

❼ Die Kontakte sind die Adressdatenbank Ihres Android: der Ort, an dem alle Informationen gesammelt werden.

❽ Streichen Sie mit dem Finger über den Index an der rechten Seite, um schnell durch die alphabetische Liste zu blättern.

❾ Tippen Sie Suchen (Taste oder Menü → Suchen), um das Suchfeld einzublenden. Während Sie tippen, werden die passenden Einträge schon angezeigt. Tippen Sie auf einen Kontakt, um die Details anzuzeigen.

Favoriten – die Sterne in der Cloud

❿ Wählen Sie oben rechts Ihre Favoriten: Die Liste stellen Sie zusammen, indem Sie bei Kontakteinträgen den Stern antippen. So entsteht ganz schnell eine Liste Ihrer persönlichen Lieblingstelefonnummern. Unter den Sternen zeigt Android eine Liste der Kontakte, die Sie häufig anrufen. Den einen oder anderen können Sie ja zum Favoriten befördern.

Gleichen Sie Ihre Kontakte mit einem Google-Konto ab, sehen Sie diese Liste auch in Google Mail oder Google Kontakte. Dort heißen sie Starred in Android.

Anrufe empfangen und Funktionen nutzen

Sehen, was los ist: Das große Display Ihres Android zeigt immer genau die Möglichkeiten an, die Sie gerade haben. Es leitet sie, ohne dass Sie es merken, und ist immer da, wenn Sie es brauchen.

❶ Wenn Ihr Telefon klingelt, sehen Sie, wer Sie anruft, am Bild, am Namen oder an der Nummer. Ziehen Sie die grüne Taste nach rechts, um den Anruf anzunehmen, oder die rote Taste nach links, um ihn abzulehnen.

❷ Klingelt Ihr Telefon im Meeting, drücken Sie die Lautstärke-Taste einmal, um den Klingelton abzustellen, während Sie den Raum verlassen.

Während des Gesprächs können Sie praktische Funktionen nutzen. Nehmen Sie dazu Ihr Smartphone kurz vom Ohr.

❸ Halten Sie den Anruf, während Sie anderen Beschäftigungen nachgehen. Ihr Telefonpartner hört Wartemusik (»Please hold the Line. Bitte warten, Sie können Ihr Gespräch gleich weiterführen«).

❹ Ton aus: Wollen Sie eben etwas besprechen oder laut husten, ohne dass der Anrufer etwas mitbekommt? Stellen Sie Ihr Mikrofon stumm.

❺ Wähltasten: Holen Sie sich einen Ziffernblock auf den Schirm; den brauchen Sie, wenn die automatische Service-Nummer mal wieder sagt »Drücken Sie die 5, wenn Sie mit einem Kundenberater sprechen wollen«.. Hier im Buch geht's weiter auf der nächsten Seite.

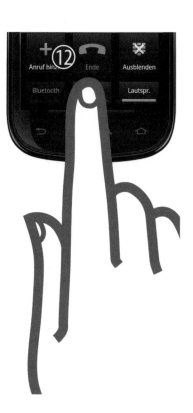

Anrufe empfangen und Funktionen nutzen (Fortsetzung)

6 Die Wähltastatur wird eingeblendet. Geben Sie die Zahlen ein, und tippen Sie auf Ausblenden, um die Ziffern wieder auszublenden.

7 Lautsprecher: Stellen Sie Ihr Telefon laut, um andere im Raum mithören zu lassen. Fragen Sie vorher Ihren Gesprächspartner, ob ihm das recht ist.

8 Anruf hinzufügen startet eine Telefonkonferenz. Mehr dazu erfahren Sie auf der nächsten Seite.

9 Tippen Sie auf die Home-Taste, um auf den Home-Bildschirm zu gelangen und in ein anderes Programm zu wechseln. Das Telefonat bleibt aktiv, während Sie zum Beispiel Ihren Kalender checken.

10 Ist das Telefon im Hintergrund, zeigt ein kleines Telefon in der Statuszeile das laufende Gespräch an.

11 Ziehen Sie die Benachrichtigungen nach unten, sehen Sie alle Details zum Anruf. Ein Tipp darauf bringt Sie zurück zum Telefon.

12 Ende: Mit der großen roten Taste legen Sie auf. Aber das wissen Sie ja schon.

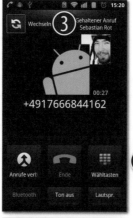

Telefonkonferenz – mit mehreren Leuten sprechen

Nichts geht über ein direktes persönliches Gespräch. Manche Dinge lassen sich in der Gruppe einfach besser klären. Auch am Telefon. Deshalb können Sie am Smartphone mit bis zu fünf Gesprächspartnern gleichzeitig telefonieren. Das kann geschäftlich sein oder auch unter Freunden, wie bei uns:

❶ Ich telefoniere mit Sebastian und verabrede mich grob für das nächste Wochenende zum Radfahren.

❷ Dann tutet es bei mir im Hörer: Ein neuer Anruf kommt an. Es ist René. Was für ein Zufall. Der soll mitkommen. Ich nehme den Anruf mit der Telefontaste an.
(Damit Sie während eines Telefongesprächs weitere Anrufe annehmen können, muss die Funktion Anklopfen/Makeln aktiviert sein. Sie finden Sie in den Einstellungen → Telefoneinstellungen.)

❸ Sebastian hört kurz Wartemusik, während ich René frage, ob ich ihn mit in unser Gespräch nehmen soll. Ich tippe auf Anrufe verbinden. Die Gespräche werden zusammengeschaltet.

❹ Jetzt telefonieren wir zu dritt. Wenn jetzt noch meine Frau zu sprechen wäre, könnten wir die Verabredung gleich festmachen. Sie ist im Büro. Vielleicht hat sie kurz Zeit. Ich tippe auf Anruf hinzufügen. Die Kontakte-App wird geöffnet.

❺ Ich suche die Büronummer aus dem Adressbuch und rufe an.

❻ Auch sie hole ich mit Anrufe verbinden mit ins Gespräch.

❼ Jetzt klären wir zu viert den Termin für den Fahrradausflug. Am Sonntagmorgen haben alle Zeit. Und ein Ziel gibt es auch. René kennt einen neuen Biergarten im Bergischen Land. Ein Tipp auf Verwalten führt zur Liste der Konferenzteilnehmer.

❽ Meine Frau muss noch arbeiten. Ich tippe auf den roten Hörer neben ihrem Eintrag und dann auf Beenden und verabschiede sie aus der Konferenz. Mit den Jungs bespreche ich noch ein paar Einzelheiten. Dann legen wir alle auf.

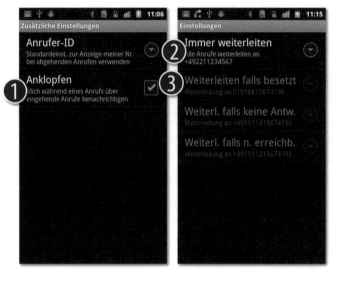

Gesammelte Telefoneinstellungen

Falls Ihr Gerät noch keine Voreinstellungen besitzt, können Sie hier die Voreinstellungen ändern. Wählen Sie Einstellungen → Anrufeinstellungen:

❶ Anklopfen: Mit Android können Sie mehrere Gespräche gleichzeitig führen, ohne verwirrt zu sein. Ich möchte hören, wenn mich jemand erreichen will, während ich telefoniere. Dann kann ich ihn auch gleich mit in eine Konferenz nehmen. Dazu wähle ich Einstellungen → Anrufeinstellungen → Zusätzliche Einstellungen Anklopfen aktivieren.

❷ Immer weiterleiten: Manchmal ist es sinnvoll, alle Anrufe auf Ihr Mobiltelefon auf eine andere Nummer weiterzuleiten. Ich aktiviere diese Funktion in folgenden Fällen:

- Der Akku ist leer: Ich leite die Anrufe auf das Telefon meiner Reisebegleitung um.
- Kein Netz: In der Ferienwohnung gibt es keine Netzverbindung, aber Festnetz. Dann leite ich alle Anrufe auf diesen Apparat. Wählen Sie Einstellungen → Anrufeinstellungen → Rufweiterleitung. Geben Sie unter Immer weiterleiten die Zielnummer ein.

❸ Die weiteren Weiterleitungen sind normalerweise alle bereits eingestellt. Normalerweise werden alle Anrufe auf Ihre Mailbox weitergeleitet, falls Sie nicht erreichbar sind. Haben Sie Anklopfen aktiviert, ist die Weiterleitung bei „besetzt" natürlich deaktiviert.

❹ Ein Symbol in der Statusleiste zeigt die Weiterleitung an. Öffnen Sie das Benachrichtigungsfeld, und tippen Sie auf den Eintrag, um die Einstellungen wieder aufzurufen.

Bei diesen Einstellungen handelt es sich nicht um Einstellungen auf Ihrem Gerät, sondern um Einstellungen im Netz. Im Hintergrund schickt Ihr Smartphone dazu sogenannte GSM-Codes. Mehr dazu lesen Sie auf den nächsten Seiten.

Mailbox: mit einem GSM-Code die Zeit bis zum Melden einstellen

Die meisten Telefonfunktionen können Sie bei Android über die grafische Benutzeroberfläche steuern. Manche wichtige Einstellmöglichkeit findet sich jedoch auch nach langem Suchen in keinem Menü. Dabei werde ich regelmäßig gefragt, wie sich denn einstellen lässt, nach welcher Zeit der Anrufbeantworter ein Gespräch annimmt. Hier ist die Lösung: Dieses Zeitintervall stellen Sie über einen GSM-Code ein. Diese Steuercodes sind Teil des Mobilfunkstandards GSM (Global System for Mobile Communications) und funktionieren auf jedem Mobiltelefon.

So stellen Sie bei der Telekom Ihre Mailbox so ein, dass sie sich nach 30 Sekunden meldet:

❶ Öffnen Sie das Telefon mit der Telefontastatur. Geben Sie folgende Zeichen ein: **61*3311**30#

❷ Tippen Sie auf die Anruftaste (grüner Hörer), um den Befehl abzuschicken. Nach kurzer Zeit erhalten Sie eine Bestätigungsmeldung. Tippen Sie auf OK.

So funktioniert der Code

Mit dem Code übergeben Sie Befehle und Parameter an das Mobilfunknetz. Dort werden sie empfangen, verarbeitet und umgesetzt. Stern (*) und Raute (#) dienen dabei als Steuerzeichen. Die Einstellung des Anrufbeantworters setzt sich folgendermaßen zusammen:

(Dienstnummer, hier 60)*(Nummer der Mailbox, hier 3311)(Zeitintervall in Sekunden, hier 30)#.

Das Zeitintervall lässt sich in 5-Sekunden-Schritten einstellen (05, …, 30). Ich wähle die längstmögliche Zeitspanne von 30 Sekunden. In dieser Zeit klingelt das Telefon ungefähr 7- bis 8-mal. (Mehr GSM-Codes finden Sie auf der nächsten Seite.)

Häufig genutzte GSM-Codes	
Aktion	**GSM-Code**
Rufumleitung zur Voicemailbox bei Besetzt aktivieren.	**67*3311#
Rufumleitung bei Besetzt deaktivieren.	##67#
Rufumleitung zur Voicemailbox bei ausgeschaltetem oder nicht erreichbarem Telefon aktivieren.	**62*3311#
Rufumleitung bei ausgeschaltetem / nicht erreichbarem Telefon deaktivieren.	##62#
Rufumleitung zur Voicemailbox nach 15 Sekunden klingeln aktivieren. Standardeinstellung der Voicemail.	**61*3311#
Verzögerte Rufumleitung aktivieren: nach 5, 10, 20, 25 oder 30 Sekunden klingeln aktivieren:	**61*3311*11*30#
Verzögerte Rufumleitung deaktivieren.	##61#
Globale Rufumleitung aktivieren: alle Anrufe zur Voicemailbox leiten.	**21*3311#
Globale Rufumleitung deaktivieren.	##21#
Alle Rufumleitungen deaktivieren.	##002#
Die 3311 ist die Mailboxnummer der Telekom. Ersetzen Sie diese durch eine andere Nummer, um auf diese umzuleiten. (Simyo: 9911, O2: 331, Vodafone: 5500)	

Telefonfunktionen mit GSM-Codes steuern

Mit GSM-Codes (auch Netz- oder Steuercodes, USSD-Codes oder MMI-Codes genannt) steuern Sie meist Telefoneinstellungen, die nicht das Telefon, sondern das Mobilfunknetz zur Verfügung stellt. Dazu gehören unter anderem Rufumleitung, Mailboxfunktionen (Voicemail) und Anrufsperren.

Die GSM-Codes sind Zeichenfolgen aus Ziffern, Raute (#) und Stern (*), die auf jeder Telefon-Tastatur vorhanden sind. Sie geben den Code ein und schicken ihn mit der Anruftaste (grüner Hörer) an das Mobilfunknetz. Im Anschluss erhalten Sie eine Bestätigung. Das Verschicken von GSM-Codes ist gebührenfrei. Diese Beispiele gelten für das Netz der Telekom, sollten jedoch auch bei allen anderen Anbietern funktionieren.

Häufig genutzte Codes in die Favoriten

Benutzen Sie mehrere Telefone? Haben Sie eine MultiSim-Karte? Dann speichern Sie sich diese Einträge einfach im Telefonbuch. Ich nutze die MultiSIM bei der Telekom und habe mir die Einstellungsnummern in den Kontakten abgelegt. Mit diesen Codes lassen sich die MultiSIMs der großen deutschen Anbieter steuern:

- **Telekom**: Statusabfrage mit 221#, Messaging aktivieren mit *222# (SMS/MMS-Empfang)
- **vodafone**: Statusabfrage mit *132#, Messaging aktivieren mit *133#
- **o2**: Statusabfrage mit *121#, Telefon aktivieren mit *123#, MMS mit *126#, SMS mit *125#
- **base oder E-Plus FlexiCard**: Statusabfrage mit *130#, Messaging aktivieren mit *131#

Mehr Codes beim Anbieter oder in der Wikipedia

Eine Liste mit Steuercodes finden Sie auf der gegenüberliegenden Seite, bei der Telekom (www.bit.ly/tgsmcodes) und auch in der Wikipedia. Suchen Sie dort nach GSM-Code.

Bluetooth-Headset mit dem Smartphone verbinden

Bluetooth ist ein Funkstandard, der elektronische Geräte über kurze Strecken direkt miteinander verbindet: Headsets, Autoradios, Kopfhörer. Seinen Namen hat er vom dänischen Wikingerkönig Harald Blauzahn (Harald Blåtand), der für seine Kommunikationsfähigkeiten berühmt war. Hier zeige ich, wie Sie Ihre Freisprecheinrichtung mit dem Smartphone verbinden. Auf der nächsten Seite lesen Sie, wie das Telefonieren damit praktischer und sicherer wird.

❶ Schalten Sie die Freisprecheinrichtung ein, stecken Sie sie vorher ins Ohr, für eventuelle Rückmeldungen per Ton. Ich verwende ein ziemlich altes Nokia-Headset (BH–102), das es für weniger als 20 EURO zu kaufen gibt.

❷ Schalten Sie Bluetooth am Android ein. Wählen Sie dazu Einstellungen → Drahtlos & Netzwerke. Tippen Sie dann auf Bluetooth-Einstellungen. Ist Bluetooth noch nicht aktiviert, tippen Sie auf den Eintrag, um es zu aktivieren.

❸ Suchen Sie nach Geräten. Tippen Sie auf Scan nach Geräten.

❹ Die Freisprecheinrichtung erscheint jetzt unter Bluetooth-Geräte (Nokia BH–102). Tippen Sie auf den Eintrag, um das Gerät zu verbinden. Drücken Sie jetzt die Taste am Headset. (Beim Nokia-Gerät erklingt ein kurzer Ton.)

❺ Jetzt startet das sogenannte Pairing. Geben Sie die PIN ein; in den meisten Fällen ist es die »0000«. Manche Geräte, z.B. Autoradios, zeigen eine eigene PIN an. Geben Sie diese am Android ein. Bestätigen Sie mit OK.

❻ Das Gerät ist jetzt mit Ihrem Smartphonebluetooth_tele verbunden.

❼ Das Bluetooth-Symbol in der Statusleiste zeigt jetzt an, dass es gekoppelt und mit einem Gerät verbunden ist.

❽ Möchten Sie das Headset wieder trennen? Tippen Sie auf den entsprechenden Eintrag, und bestätigen Sie den folgenden Dialog mit OK.

Telefonieren mit Bluetooth und ohne

Ich sag' Ihnen jetzt was: Ich bin immer noch irritiert, wenn Menschen laut ins Leere sprechend durch die Straßen laufen, aber im Auto oder am Schreibtisch nutze auch ich gerne die Funkfreisprechanlage – vor allem, wenn es so leicht ist, zwischen Headset und Telefon zu wechseln.

❶ Sie fahren im Auto – Headset aktiviert. Die Zentrale ruft an. Sie hören das Klingeln im Kopfhörer. Drücken Sie die Taste (die meisten Headsets haben nur eine), und nehmen Sie das Gespräch an. Dabei kann das Gerät auch in der Tasche bleiben.

❷ Sie haben eingeparkt und wollen das Gespräch am Telefon weiterführen. Die Taste Bluetooth leuchtet grün, wenn Sie über die Freisprechanlage telefonieren. Tippen Sie darauf, um zum Telefon zu wechseln. Auflegen können Sie entweder mit der Hörertaste oder auf dem Telefon.

Einmal eingerichtet, verbinden sich die Geräte übrigens ganz leicht wieder miteinander. Schalten Sie einfach das Headset oder die Auto-Freisprechanlage an, schon können Sie wieder darüber sprechen.

Mit Headset und der Sprachwahl (Voice-Dialer) können Sie das Smartphone sogar zum Starten von Anrufen in der Tasche lassen. Ein Knopfdruck genügt:

❸ Wählen Sie mit Ihrer Stimme: Drücken Sie die Headset-Taste lange (Bestätigungston erklingt).

❹ Eine Stimme sagt:»Jetzt sprechen«. Sagen Sie »Dominikus anrufen«.

❺ Die Stimme bestätigt Name und Nummer und startet den Anruf. Wurde die falsche Nummer erkannt, drücken Sie einfach noch einmal, um abzubrechen.
(Bei mir klappt die Spracherkennung nicht so wirklich gut. Vielleicht nutze ich sie auch zu wenig. Gut ist es außerdem, wenn die Namen einzigartig sind. Dominikus ist gut oder Emmanuela.)

Telefonnummern und Adressen mit dem Telefonbuch finden

Die Telefonnummern Ihrer Freunde und geschäftlichen Kontakte sind in Ihren Kontakten. Aber wo sind die Nummern der Menschen, mit denen Sie bisher noch nicht telefoniert haben? Genau: im Telefonbuch. Und zwar nicht in diesem Papierklotz, der einmal im Jahr ungefragt die blaue Altpapiertonne zum Bersten bringt, sondern in der digitalen Ausgabe – auf dem Android.

❶ Installieren Sie die App DasTelefonbuch. Geben Sie einen Namen und einen Ort in die Suchfelder ein, und tippen Sie auf Finden.

❷ In den Zusatzfunktionen findet sich eine sinnvolle Taste: die Notrufnummern. Ein Tipp zeigt Ihnen die bundesweiten Notrufnummern (inklusive Giftnotruf), Pannendienste, Kreditkarten- und Mobilfunkdienste.

❸ Tippen Sie auf einen Eintrag in den Suchergebnissen – hier gibt es nur eines. Die Kontaktseite bietet dann alle Möglichkeiten: Rufen Sie den Kontakt direkt an, tippen Sie auf die weiteren Tasten, um die Nummer in Ihre Kontakte zu übernehmen oder den Ort auf der Karte anzuzeigen.

❹ Möchten Sie wissen, wer sich hinter einer Telefonnummer verbirgt? Tippen Sie auf die Taste Rückwärts, und geben Sie die Nummer in das Suchfeld ein.

Noch mehr Telefonbücher im Market

Sie haben noch nicht genug Telefon-Apps? Suchen Sie im Market nach Telefonbuch. Dann finden Sie eine Menge Hilfsprogramme: Interessant für Deutschland sind Klicktel oder das Örtliche. Das Schweizer Telefonbuch und Herold mobile enthalten Telefonbücher und Branchenverzeichnisse für die Schweiz und für Österreich.

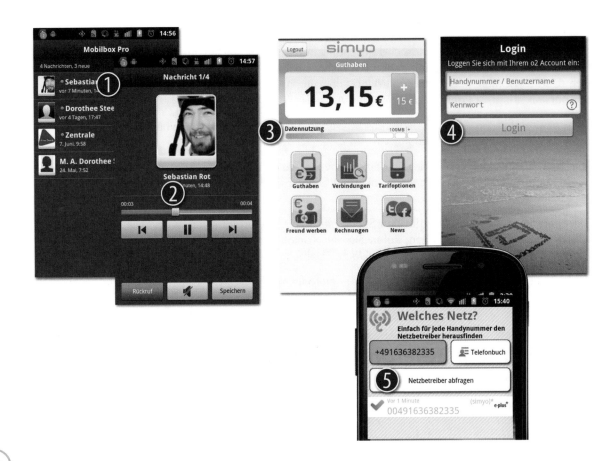

Anbieter-Apps: Mehr Komfort für Ihr Smartphone

Die Mobilfunkanbieter möchten Ihnen das Leben mit Ihrem Smartphone so angenehm wie möglich machen, damit Sie ihnen treu bleiben. Deshalb installieren sie auf den Geräten eigene Apps, die Sie aber auch im Market laden können. Ich habe ein paar wirklich praktische gefunden:

❶ **Telekom MobilboxPro**: Deutschlands größter Mobilfunkanbieter hat sich Apples Visual Voicemail als Vorbild genommen und überträgt Nachrichten von Ihrer Mailbox vollständig auf Ihr Telefon. Öffnen Sie die App, und tippen Sie auf einen Eintrag.

❷ Mit dem Schieber spulen Sie Nachrichten vor und zurück, sooft Sie wollen, etwa, um sich Notizen zu machen. Zurückrufen können Sie direkt aus der App.

❸ **Mein Simyo**: Diese App erlaubt Ihnen einen Blick auf Ihr aktuelles Guthabenkonto sowie Ihre aktuell gebuchten Optionen (besonders wichtig: Internet-Flat) und stellt auch noch Rechnungen im PDF-Format zur Verfügung. Das ist bequemer als im Web.

❹ **Die Apps der anderen**:Auch die anderen Anbieter haben Apps im Market. Suchen Sie nach vodafone, Base, o2, Aldi Talk. Sie werden sicher fündig.

❺ **Welches Netz?** kommt nicht vom Mobilfunkbetreiber, ist aber umso praktischer. Wenn bei Ihrem Tarif Gespräche in bestimmte Telefonnetze kostenlos oder extrateuer sind, ist es interessant, vorher zu wissen, in welchem Netz der Partner telefoniert. Geben Sie eine Nummer ein, oder holen Sie sie aus dem Telefonbuch. Tippen Sie dann auf Netzbetreiber abfragen. Die App Welches Netz? ermittelt den Betreiber. Hier ist es Simyo. Clever, nicht? Und völlig kostenlos.

Telefonieren über das Internet – überall und günstig im WLAN mit VoIP

Eins ist klar: Mobilfunktarife sind mittlerweile ziemlich günstig. Wenn Sie aber häufiger ins Ausland telefonieren oder vom Ausland aus nach Hause telefonieren möchten, empfehle ich Ihnen, über eine VoIP-Option nachzudenken.

Bei VoIP (Voice over IP) wird Sprache in kleinen Paketen über das Internet transportiert, genau wie Daten. So nutzen Sie eine bestehende Internetverbindung einfach zum Telefonieren. Wenn der Angerufene dabei ebenfalls über das Internet telefoniert, ist das sogar kostenlos. Zwei Möglichkeiten sind besonders interessant:

➊ **Skype**: Die populäre Komplettlösung für Chat, Voicechat, Videochat und Telefon. Wenn Sie Skype schon am Computer nutzen, können Sie Ihr bestehendes Konto auf Ihrem Android nutzen. Sie müssen nur die Skype-App installieren. Wenn Sie viele Bekannte bei Skype haben, ist das eine hervorragende Lösung. Denn Skype-Nutzer telefonieren untereinander kostenlos. Anrufe in Telefonnetze kosten Geld. Dazu müssen Sie vorher Ihr Skype-Gebührenkonto aufladen. Wie Sie mit Skype im WLAN telefonieren, lesen Sie auf der nächsten Seite.

➋ **Sipgate** ist ein kompletter Telefonanschluss mit Anrufbeantworter, SMS und Fax. Schon im kostenlosen Basispaket erhalten Sie eine Festnetznummer in Ihrem Ortsnetz (Überprüfung mit Personalausweis, Telefonrechnung oder Meldebescheinigung). Über diese Nummer können Ihre Freunde Sie günstig oder sogar kostenlos anrufen, egal, wo auf der Welt Sie gerade sind. Sipgate-Nummern lassen sich übrigens auch ohne App direkt auf dem Android-Telefon nutzen. Wie das geht, zeige ich später in diesem Kapitel.

Mit Skype über WLAN telefonieren

Mit Skype können Sie über Ihre Datenverbindung telefonieren. Das funktioniert über UMTS, aber am besten über WLAN, vor allem, wenn Sie im Ausland sind.

❶ Starten Sie Skype, und melden Sie sich mit Ihrem Skype-Namen an.

❷ Achten Sie darauf, dass das WLAN-Symbol in der Statusleiste angezeigt wird. Sonst wird die Verbindung über Ihre mobile Datenverbindung aufgebaut – und abgerechnet. (Beim ersten Start können Sie auswählen, ob Sie Skype-Kontakte mit den Android-Kontakten abgleichen möchten. Wählen Sie Mit bestehenden Kontakten synchronisieren. So werden die Skype-Daten zu bestehenden Einträgen hinzugefügt. Sie können diese Einstellungen später ändern.)

❸ Die Startseite von Skype erscheint. Wählen Sie eine Nummer aus Ihren Kontakten. Am schnellsten geht das über die Lupe oben rechts.

❹ Wählen Sie mit der Taste links vom Suchfeld Kontakte und geben Sie dann einen Namen ein. Tippen Sie dann auf den gefundenen Eintrag (mit Telefonnummer.) Die Detailseite wird angezeigt.

❺ Tippen Sie dort auf Skype-Anruf. Die Verbindung wird aufgebaut.

❻ Jetzt können Sie mit Heidi Maier (oder anderen Personen) telefonieren. Skype zeigt an, in welches Land Sie zu welchem Preis telefonieren.

❼ Mit Beenden legen Sie den virtuellen Hörer auf.

❽ Wählen Sie Profil auf der Startseite, um Ihren Status anzuzeigen oder zu ändern (online, abwesend, beschäftigt) und Ihr Guthaben zu überprüfen. Tippen Sie auf den Guthaben-Eintrag, um zusätzliche Gesprächsminuten zu kaufen.

Checken Sie Ihre Verbindung zu Hause

Erweitern Sie Ihre Reiseliste um den Punkt VoIP überprüfen. Laden Sie Ihr Gesprächskonto auf, testen Sie die Skype-Verbindung – rufen Sie sich einfach mal selbst an – und richten Sie Ihren Verwandten vielleicht noch ein Skype-Konto auf dem Computer ein.

SIP-Konto zum Telefonieren über das Internet einrichten

Rufen Sie mich mal auf meiner Büronummer an. Auch wenn das eine Festnetznummer ist, wissen Sie nicht, wo Sie mich erreichen. Es handelt sich nämlich um einen Telefonanschluss, der VoIP (Voice over IP) über das SIP (Session Initiation Protocol) nutzt. Klingt kompliziert? Ist es aber gar nicht.

Wenn mein Smartphone im WLAN angemeldet ist, egal in welchem, kann ich Anrufe nämlich auf diesem Gerät annehmen und vom Gerät aus über meine SIP-Nummer telefonieren. So richten Sie eine SIP-Nummer auf dem Android ein:

❶ Öffnen Sie Einstellungen → Anrufeinstellungen. Tippen Sie unter Einstellungen für Internetanrufe auf Konten. Wählen Sie dort Konto hinzufügen. (Sie können sogar mehrere Konten/Telefonnummern verwenden).

❷ Geben Sie hier Ihre Zugangsdaten ein: Nutzername und Passwort sowie die Adresse des Servers (z.B. sipgate.de oder sip.1und1.de. Das war's.

❸ Wählen Sie nach dem Sichern noch Eingehende Anrufe annehmen, damit Ihr Telefon eingehende Gespräche annehmen kann.

❹ Legen Sie jetzt noch fest, wann Sie über das Internet telefonieren. Gehen Sie dazu zurück zu Einstellungen → Anrufeinstellungen, und tippen Sie auf Internetanrufe verwenden. Ich habe Bei jedem Anruf fragen eingestellt, damit ich entscheiden kann, über welches Netz ich telefoniere.

❺ Wenn jetzt jemand auf der verbundenen Festnetznummer anruft, wird der Anruf als Internetanruf angezeigt.

Konten für Internetanrufe (SIP)

Eingeh. Anrufe annehme ☑
Verkürzt Akkulaufzeit

-Konten

8668121e2@sipgate.de
Primäres Konto. Eingehende Anrufe aktiviert

⚠ Anruf tätigen

Handytelefonat ◉

Internetanruf ◉

Abbrechen

9:59

Eingehender Anruf

M. A. Dorothee Steeb
Geschäftlich +49221
Internetanruf

17:01

Rufaufbau

Sebastian Rot
Mobil +491636382335
Internetanruf

Anruf hinzu · Ende · Wähltasten
Bluetooth · Ton aus · Lautspr.

SIP – Telefonieren übers Internet

Haben Sie Ihre SIP-Telefonnummer eingerichtet (vorherige Seite), und ist Ihr Smartphone im WLAN angemeldet? Dann können Sie mit Ihrem Smartphone über diese Nummer telefonieren und Anrufe annehmen.

❶ Achten Sie darauf, dass Ihr Telefon auf eingehende Anrufe über Ihre SIP-Nummer reagiert. Wählen Sie dafür in Einstellungen → Anrufeinstellungen → Konten die Option Eingeh. Anrufe annehmen.

❷ Wenn Ihr Telefon jetzt klingelt, werden Anrufe auf Ihrer SIP-Nummer als Internetanruf angezeigt. Nehmen Sie einfach ab, und sprechen Sie.

❸ Möchten Sie selbst einen SIP-Anruf starten? Dann wählen Sie beim Anrufen die Option Internetanruf.

❹ Auch für diesen Anruf nutzt Android jetzt die Internetverbindung.

Wo gibt es eigentlich SIP – oder habe ich es vielleicht bereits?

Wenn Sie Kunde bei 1&1 sind, kann es sein, dass Sie schon über SIP telefonieren. Das heißt dort DSL-Telefonie. Sollten Sie eine transportable Telefonnummer suchen, dazu ein Internet-Fax und unabhängig von einem Telefonanbieter sein wollen, bietet sich ein Anbieter wie Sipgate an. Mit diesem können Sie auch im Ausland viel Geld sparen.

SIP-Apps von Sipgate und FRITZ!

Nutzen Sie eine FRITZ!Box? Dann können Sie die VoIP-Funktionen auch über Ihr Android nutzen. Die passende App heißt FRITZ!Fon. Die App von Sipgate ist ebenfalls im Market erhältlich und erlaubt sogar das Telefonieren über eine UMTS-Verbindung.

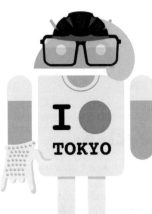

Von - Nach	T-Mobile D	Skype	Sipgate
Schweden - Deutschland Festnetz/Mobil	29/29 Cent (plus einmalig 75 Cent pro Gespräch)	2,2/23,6 Cent	1,79/14,9 Cent
Deutschland - USA Festnetz/Mobil	1,29 EUR/1,29 EUR	1,9/1,9 Cent	1,9/1,9 Cent

Günstig im Ausland und ins Ausland telefonieren

Selbst wenn Sie normalerweise mit Ihren 100 Inklusivminuten pro Monat glücklich innerhalb von Deutschland telefonieren und eher selten mit Menschen in entfernten Ländern sprechen müssen, kann es doch zu bestimmten Zeiten ganz anders sein. Und auch wenn Sie selbst ins Ausland fahren und dort telefonieren möchten, kostet das Telefonieren häufig mehr, denn dort müssen Sie Roaming-Gebühren zahlen – egal, bei welchem Anbieter.

Hier sind zwei Beispiele für Telefonate aus dem Ausland und ins Ausland mit den Tarifen von Telekom, Skype und Sipgate:

1. Sie fahren im Sommer nach Schweden – und zwar gleich für vier Wochen. Gut, dass Sie bei der Auswahl der Unterkunft auf WLAN geachtet haben.

2. Sie bleiben in Deutschland, haben aber ein großes Projekt an Land gezogen, für das Sie häufig mit Partnern in den USA telefonieren müssen.

Schauen Sie mal auf die Tabelle auf der gegenüberliegenden Seite. Die Preisunterschiede sprechen vor allem bei den USA eindeutig für VoIP.

Mehr Informationen zu den Auslandtarifen finden Sie hier:

- Telekom: www.bit.ly/telroaming
- Skype: www.skype.com/intl/de/prices
- Sipgate: www.sipgate.de/basic/tarife

Wie viel Datenverkehr verursacht ein VoIP-Telefonat?

Insgesamt müssen Sie bei einem einstündigen Telefonat mit ca. 70–80 MByte Datenverkehr rechnen. Während eines Gesprächs fallen durchschnittlich 100 kBit Datenvolumen pro Sekunde und pro Richtung (Up- und Downstream) an. Nutzen Sie also auch in Ihrem Heimatland am besten WLAN.

Guthaben-Aufladen ohne Kreditkarte

Bei Skype und Sipgate können Sie Ihr Konto auf verschiedene Arten auffüllen: per Überweisung, Lastschrift, Giropay oder PayPal – aber auch über die Kreditkarte, wenn Sie wollen. Das geht bei Skype und Sipgate am bequemsten am Computer über den Browser.

KAPITEL 6 | Das Web mobil nutzen

Android lebt ganz und gar im Internet. Jede Anwendung kann über das Netz drahtlos Daten austauschen oder auf Informationen zugreifen. Die vielleicht bekannteste Internetanwendung ist der Browser. Mit ihm nutzen Sie das Web auf dem kleinen Bildschirm – und zwar so gut, dass Sie bald lieber zum Smartphone greifen werden, als sich an den Computer zu setzen. Dabei helfen drei Faktoren:

- **Permanenter Internet-Zugang**: Mit dem Smartphone sind Sie über UMTS (3G) oder WLAN immer mit dem Netz verbunden.
- **Rasante Browserengine**: Webseiten und Webanwendungen bestehen aus Programmcode, der im Browser verarbeitet und dargestellt wird. Diese anspruchsvolle Arbeit erledigt der sogenannte Motor oder die Engine. Android verwendet WebKit, die zurzeit vielleicht fortschrittlichste und schnellste Engine, die auch Googles Chrome und Apples Safari auf dem Computer verwenden. Das Web fühlt sich damit richtig schnell an.
- **Google- und Android-Dienste**: Die Google-Suche ist direkt im Browser eingebaut. Alle Inhalte lassen sich weiterleiten und bearbeiten.

Das Web ist das Internet ist das Web

Früher habe ich schon mal über die Unterschiede zwischen dem Internet und dem Web diskutiert. Aber eigentlich ist es völlig egal, ob Sie den Webbrowser Internet nennen oder nicht. Hauptsache ist, Sie sind vernetzt.

Webseiten finden und aufrufen

Ich habe mal gelesen, dass Firmen in Japan keine Webadressen mehr auf Ihren Anzeigen abdrucken. Sie schreiben einfach: Suchen Sie nach »Toyota«. Der Browser bei Android hat deshalb ein kombiniertes Such- und Adressfeld. Wenn Sie Chrome am Computer kennen, wissen Sie schon ungefähr, wie gut das funktioniert.

❶ Öffnen Sie den Browser, und tippen Sie in das Eingabefeld. Starten Sie die Eingabe. Ich suche die Seiten der Süddeutschen Zeitung.

❷ Der Browser sucht zuerst in den Lesezeichen, dann im Verlauf und dann im Web. Tippen Sie auf ein passendes Ergebnis, um die Seite aufzurufen.

❸ Tippen Sie Los auf der Tastatur, um eine Google-Suche zu starten.

❹ Die Sueddeutsche.de hat, wie fast alle Zeitungen, eine mobile Website. Tippen Sie auf einen Link, um einen Artikel zu lesen.

❺ Streichen Sie mit dem Finger auf dem Display nach oben, um die Seite zu bewegen. Das Suchfeld verschwindet und macht Platz für den Inhalt.

❻ Tippen Sie auf Zurück, um zur vorherigen Seite zurückzukehren. Mehr brauchen Sie erst einmal nicht.

Tippen, streichen und zwicken

Falls Sie Ihr Wissen zur Fingersteuerung auffrischen möchten: In Kapitel 2 finden Sie alle Gesten für Android in der Übersicht.

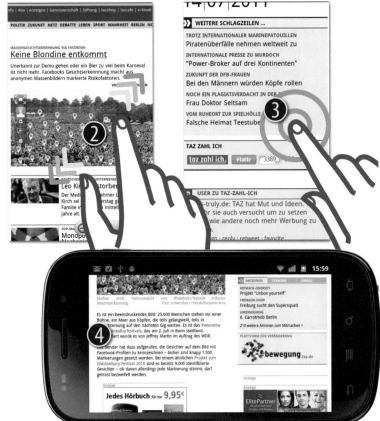

Große Webseiten mit dem Browser nutzen

Nicht alle Websites haben speziell angepasste mobile Seiten. Die taz beispielsweise hat keine. Die kleine Zeitung aus Berlin gibt es zwar als PDF und sogar als App zum Download, letztendlich kehre ich aber immer wieder zur Webseite zurück. Warum? Weil sich mit dem Browser prima navigieren lässt.

❶ Senkrecht mehr sehen: Beim Aufrufen der Startseite zeigt der Browser die Homepage verkleinert an. Das ist praktisch. So viel wie hier sehen Sie nicht mal am großen Computerbildschirm. Die Zoomtasten, die der Browser einblendet, brauchen Sie nicht. Mit Gesten geht es einfacher.

❷ Zoomen ohne Tasten: Ziehen Sie einfach die Inhalte mit den Fingern auf. Holen Sie den Bereich näher heran, der Sie interessiert. Kneifen Sie die Finger zusammen, um wieder das Ganze zu sehen.

❸ Details per Doppeltipp: Der Browser erkennt bestimmte Seitenabschnitte. Ein Doppeltipp auf die Randspalte holt diese bildschirmfüllend heran. Ein weiterer Doppeltipp bringt Sie zurück.

❹ 90-Grad-Drehung für mehr Breite: Drehen Sie Ihr Smartphone auf die Seite, um die Seite durch ein breiteres Fenster zu sehen. Besonders praktisch ist diese Ansicht bei Fotos, denn diese sind im Web meist im Querformat.

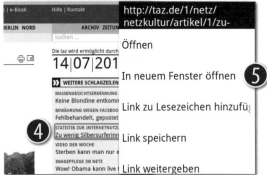

Bequemer surfen mit mehreren Fenstern

Schauen Sie mal am Ende eines Arbeitstages oder nach einer ausgedehnten Surfsitzung am Computer nach, wie viele Fenster oder Tabs Sie im Browser geöffnet haben. Sicher mehr als eines, oder? Manche Seite möchte man eben offen halten, während man auf einer anderen etwas überprüft; und manchen Link öffnet man zwischendurch in einem neuen Fenster, damit man ihn nicht vergisst. Gut, dass auch der Android-Browser mehrere Fenster gleichzeitig öffnen kann – bis zu acht, um genau zu sein.

❶ Tippen Sie auf Menü → Fenster. Die Liste aller aktuell geöffneten Webseiten öffnet sich.

❷ Tippen Sie auf einen Eintrag, um die Seite anzuzeigen, und tippen Sie auf das ✖ neben dem Eintrag, um das Fenster zu schließen. Das müssen Sie auch tun, wenn der Eintrag am oberen Rand nicht zu sehen ist. Mehr als acht Seiten gleichzeitig können Sie nämlich nicht offen halten. Tippen Sie auf Neues Fenster.

❸ Ein neues Fenster mit der voreingestellten Startseite öffnet sich. Geben Sie eine Adresse oder einen Suchbegriff in das Suchfeld ein.

❹ Öffnen Sie Links im Hintergrund in einem neuen Fenster: Wenn Sie einem oder mehreren Links auf einer Seite folgen möchten, die aktuelle Seite aber nicht verlassen möchten, drücken Sie lange auf den Link, bis das Auswahlmenü erscheint.

❺ Tippen Sie dann im Menü In neuem Fenster öffnen. Sie finden die Seite anschließend über das Menü Fenster.

Überall suchen und alles finden mit der Google-Suche

Was auch immer Sie suchen, mit Ihrem Smartphone spüren Sie es auf. Bei Android ist die Suche fester Bestandteil des Systems und perfekt an die Bedürfnisse unterwegs angepasst – was Sie nicht davon abhalten muss, sie zu Hause auf dem Sofa zu verwenden.

❶ Tippen Sie in das Suchfeld, und geben Sie einen Begriff ein. Ich suche nach einem Transportrad in Köln. Während des Tippens werden meist schon passende Suchbegriffe vorgeschlagen. Tippen Sie auf einen Vorschlag, um ihn für die Suche zu übernehmen. Ich muss hier leider bis zu Ende tippen.

❷ Die Suchergebnisse erscheinen ähnlich, wie Sie es vom Computer kennen. Tippen Sie am oberen Rand auf Bilder, Places oder News, um unterschiedliche Ergebnisse zu bekommen.

❸ Die Ergebnisse der Bildersuche sehen Sie übersichtlich als Raster. Ein Tipp auf ein Bild startet die praktische Großansicht.

❹ Google Places sind sehr praktisch, wenn Sie, wie in diesem Fall, nach einem Laden oder einem Hersteller für Transporträder suchen. Den finden Sie dann hier. Places ist so etwas wie die Gelben Seiten des 21. Jahrhunderts. (Google verwendet unter anderem auch Daten aus dem gelben Branchenbuch.)

❺ Die Ergebnisse der Websuche müssen Sie nicht als Textliste ansehen. Tippen Sie auf die kleine Vorschaulupe neben einem Eintrag, um die Webseiten hinter den Links zu sehen, ohne jede einzeln aufzurufen. Tippen Sie dann auf eine, die Ihnen gefällt.

Andere Suchmaschinen? Wenn es sein muss ...

Öffnen Sie im Browser Menü → Mehr → Einstellungen, und tippen Sie auf den Eintrag Suchmaschine festlegen. Dort können Sie statt Google die Angebote von Ask.com, Bing (von Microsoft) oder Yahoo auswählen. Aber, ganz ehrlich: An Google kommen die nicht ran.

Text auf der Webseite suchen

Auf dem Smartphone können Sie durchaus auch sehr lange Texte lesen. Wenn Sie in einem solchen Text nach bestimmten Stichworten suchen möchten, hilft Ihnen die Suchfunktion des Browsers bei der Recherche. Sie ist allerdings nicht über die Suchtaste zu erreichen.

❶ Öffnen Sie eine Seite im Browser. Tippen Sie auf Menü → Mehr → Auf Seite suchen.

❷ Geben Sie den Begriff, den Sie suchen, in das Suchfeld ein. Während Sie tippen, erscheinen schon die Ergebnisse grün hervorgehoben auf der Seite.

❸ Tippen Sie Weiter auf der Tastatur, um diese auszublenden. So können Sie die Ergebnisse besser sehen.

❹ Mit den Pfeiltasten neben dem Suchfeld springen Sie zur nächsten Fundstelle oder wieder zurück.

❺ Das × oben rechts schließt die Suche. Sie kehren zur regulären Ansicht zurück.

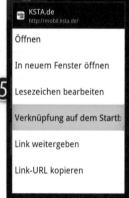

Lesezeichen für Seiten, die Sie häufig benutzen

Seiten, die Sie häufig nutzen, speichern Sie möglicherweise auf Ihrem Computer als Lesezeichen ab. Das können Sie auch am Smartphone tun. Damit kommen Sie schneller an Ihre Lieblingsseiten.

❶ Surfen Sie zu einer Seite, die Sie häufig aufrufen. Ich schaue jeden Morgen in die Rubrik Köln des Kölner Stadtanzeigers. Tippen Sie Menü → Lesezeichen.

❷ Die Seite mit Ihren gespeicherten Lesezeichen öffnet sich (einige Seiten sind schon von Android voreingestellt, z.B. Google oder die Wikipedia). Die aktuelle Seite erscheint an erster Stelle, hier als KSTA.de. Tippen Sie auf das Vorschaubild, um sie hinzuzufügen.

❸ Ändern Sie den Namen, wenn Sie möchten, und tippen Sie dann auf OK.

❹ Ihr Lesezeichen erscheint bei den anderen.

❺ Legen Sie das Lesezeichen auf dem Startbildschirm ab. Dann sparen Sie den Umweg über die Lesezeichenliste. Drücken Sie dazu lange auf den Eintrag in den Lesezeichen. Wählen Sie im folgenden Menü Verknüpfung auf dem Startbildschirm erstellen.

❻ Drücken Sie die Home-Taste. Auf dem Startbildschirm finden Sie jetzt ein hübsches Lesezeichen. Ein Tipp darauf öffnet ab jetzt Ihre Lieblingsseite. Dieses Lesezeichen können Sie auf dem Startbildschirm verschieben, in Ordner legen oder auch wieder löschen. (Ich sammle übrigens Lesezeichen meiner Lieblingsnachrichtenseiten in einem Ordner namens Nachrichten. Mehr dazu finden Sie in Kapitel 8.)

Lesezeichen vom Computer importieren

Ganz ehrlich: Ich nutze Lesezeichen kaum noch. Nur Seiten, die ich wirklich häufig oder regelmäßig nutze, speichere ich als Lesezeichen. Den Rest suche ich einfach bei Google. Wenn Sie trotzdem Ihre liebgewonnenen Lesezeichen vom Computer übernehmen möchten, zeige ich Ihnen auf der nächsten Seite, wie das geht.

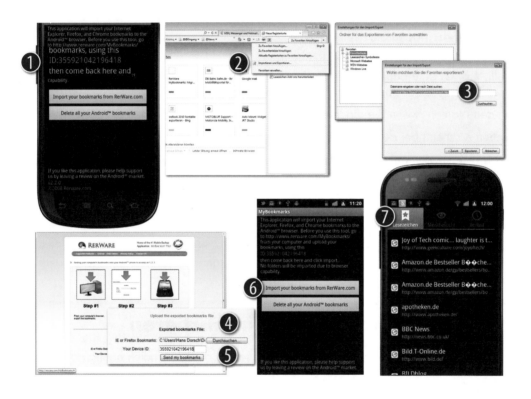

Lesezeichen in den Browser importieren

Ja, es ist möglich, die Lesezeichen Ihres Browsers mit denen Ihres Smartphones zu synchronisieren. Das ist umständlich, unzuverlässig und – vor allem – meist gar nicht nötig. Für einen schnellen Start und das sofortige Zuhause-Gefühl ist es aber schön, sich einmal die Lesezeichen vom Tischrechner zu holen, und zwar mit MyBookmarks:

❶ Installieren und starten Sie die App MyBookmarks auf Ihrem Smartphone. Beim Start wird Ihre persönliche ID angezeigt. Lassen Sie die App geöffnet, und rufen Sie am Computer Ihren Browser auf.

❷ Exportieren Sie Ihre Lesezeichen als HTML-Datei aus jedem beliebigen Browser. Suchen Sie die Funktion Lesezeichen exportieren. Beim Internet Explorer 9 befindet sie sich im Favoritencenter (hinter dem Stern). Wählen Sie aus dem Menü Importieren und Exportieren …

❸ Exportieren Sie dann die Favoriten. Wählen Sie aus, welche Favoriten exportiert und wo sie gespeichert werden sollen. Hier werden die Favoriten aus der Favoritenleiste im Ordner Dokumente (Documents) gespeichert. Klicken Sie auf Exportieren. Die Datei bookmark.htm liegt jetzt im Ordner Meine Dokumente bereit.

❹ Rufen Sie nun die folgende Webseite auf: http://rerware.com/mybookmarks/. Klicken Sie auf Durchsuchen, und wählen Sie Ihre gespeicherte Datei bookmark.htm aus.

❺ Geben Sie die ID aus der MyBookmarks-App ein, und klicken Sie dann auf Send Bookmarks.

❻ Wechseln Sie jetzt zur App auf Ihrem Smartphone. Tippen Sie dort auf die große Taste Import your bookmarks from RerWare.com. Bestätigen Sie das Menü mit Yes. Ihre Lesezeichen werden jetzt importiert. (Tippen Sie auf Nachfrage All at Once, um alle Lesezeichen zu importieren.) Nach kurzer Zeit erhalten Sie eine Bestätigung.

❼ Sie finden Ihre Lesezeichen jetzt in der Liste des Browser.

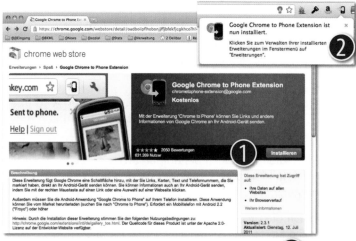

Mit »Chrome to Phone« eine Seite an das Smartphone schicken

So wie Sie eine Zeitung, die Sie gerade lesen, vom Wohnzimmer mit auf den Balkon nehmen, wenn die Sonne herauskommt, können Sie jede Website, die Sie gerade am Computer geöffnet haben, mitnehmen: Ein Klick schickt sie von Googles Chrome-Browser zum Browser auf dem Smartphone.

❶ Starten Sie den Browser Chrome auf Ihrem Computer. Falls Sie ihn noch nicht installiert haben, finden Sie ihn unter www.google.com/chrome/ (für Windows, Mac und Linux). Suchen Sie die Erweiterung Chrome to Phone aus dem Chrome Web Store (bit.ly/chrome2p). Klicken Sie dann auf Installieren.

❷ Melden Sie sich nach der Installation mit Ihrem Google-Konto an, und gewähren Sie der Anwendung Zugriff. Damit ist die Installation abgeschlossen.

❸ Installieren und starten Sie die App Chrome to Phone auf Ihrem Smartphone (Sie finden sie im Market). Wählen Sie das Konto aus, mit dem Sie sich auf dem Computer angemeldet haben. Tippen Sie auf Weiter. Die Verbindung mit Ihrem Google-Konto wird jetzt hergestellt.

❹ Rufen Sie jetzt am Rechner eine Webseite auf. Ich schaue mir ein wunderschönes Pedersen-Fahrrad an. Klicken Sie auf das Chrome to Phone-Symbol in der Browser-Titelleiste. Sie erhalten eine kurze Bestätigung.

❺ Die Seite wird jetzt auf Ihrem Smartphone aufgerufen.

Chrome to Phone kann noch mehr, und zwar richtig schlaue Sachen: Sind Sie bei Google Maps oder YouTube, öffnet sich auf dem Smartphone nicht der Browser, sondern die Maps- oder YouTube-App. Wollen Sie eine Telefonnummer auf einer Webseite anrufen, wählen Sie sie aus und klicken dann auf Chrome to Phone. Android öffnet dann die Telefon-App mit der Nummer.

Für Firefox-Liebhaber

Für Firefox gibt es Fox To Phone (www.foxtophone.com), Internet Explorer und Apples Safari werden zurzeit noch nicht unterstützt.

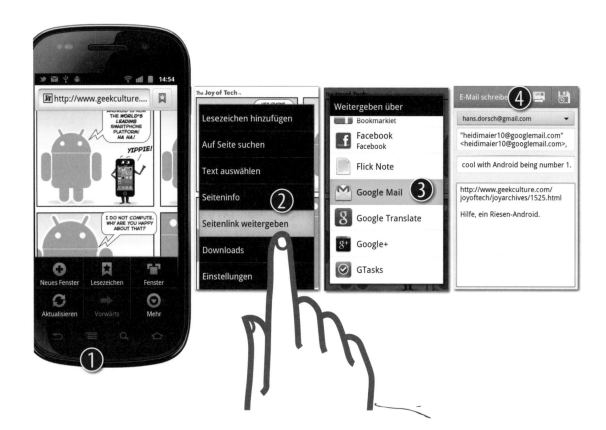

Webseiten per E-Mail weiterleiten

Das Web ist frei – oder sollte es zumindest sein. Sie können jede Seite, die Ihnen gefällt, für sich selbst als Lesezeichen speichern oder an Freunde weitergeben – per E-Mail oder auf ganz viele andere Arten. Zu diesem Zweck gibt es bei Android ein einzigartiges Menü: Es heißt Weitergeben.

❶ Rufen Sie eine Seite im Web auf, zum Beispiel die fabelhaften Comics von The Joy of Tech. Tippen Sie auf Menü → Mehr.

❷ Wählen Sie dann Seitenlink weitergeben.

❸ Im folgenden Menü können Sie auswählen, auf welchem Weg Sie den Link (URL) weitergeben möchten. Wählen Sie Google Mail, um eine E-Mail-Nachricht zu erstellen.

❹ Android erstellt eine Mail mit dem Seitentitel im Betreff und dem Link zur Seite im Nachrichtentext. Sie müssen nur noch einen Empfänger einsetzen und die Nachricht abschicken. Vielleicht fügen Sie noch eine kleine Anmerkung hinzu.

Weitergeben über alles

Das Weitergeben-Menü ist voller Möglichkeiten: Viele Apps installieren zusätzliche Dienste, mit denen sich die Fähigkeiten dieses Menüs erweitern. Damit schicken Sie den Link an Facebook, Ihren Notizblock oder sogar an Googles Übersetzungsdienst. In Kapitel 8 erfahren Sie noch mehr dazu.

Seiten mit Flash abspielen

Im Web gibt es eine Menge Seiten, die für Animationen oder zum Abspielen von Filmen oder für Spiele auf Flash setzen. Die meisten mobilen Videoseiten nutzen mittlerweile andere Techniken, die besser geeignet sind. Sollte Ihnen dennoch einmal eine Flash-Seite unterkommen, kann Ihr Smartphone diese dennoch anzeigen. Wundern Sie sich aber nicht, wenn manche Online-Spiele auf Ihrem Smartphone nicht funktionieren. Das Lieblingsspiel meines Sohnes, Gib Gummi Brummi!, läuft zwar auf dem Smartphone, verlangt aber nach Tastatursteuerung. Und damit kann der Touchscreen nicht dienen. Probieren Sie also Ihre Lieblingsseiten einfach mal aus.

❶ So sieht eine Videoseite bei *mtvhive.com* am Computer aus.

❷ Öffnen Sie die Seite auf Ihrem Smartphone. Sie können das Video in der Seite abspielen. Besser jedoch tippen Sie auf das Video, um den Vollbildmodus zu starten.

❸ Tippen Sie in das Video, um die Steuerungen einzublenden. Mit Zurück geht's zurück.

❹ Einige Online-Spiele lassen sich durchaus mit den Fingern steuern, zum Beispiel Bleib cool am Grill von playmobil.de. Tippen Sie auch hier auf das Spiel, um es zu starten.

❺ Mit den Fingern können Sie alles bedienen.

Flash lässt sich auch ausschalten

Wenn Sie das Web lieber ohne Flash nutzen wollen, schalten Sie das Plugin einfach ab. Wählen Sie im Browser Menü → Einstellungen → Plug-ins aktivieren, und tippen Sie dann auf Aus.

KAPITEL 7 | E-Mail, SMS, MMS, Twitter und Facebook – Kommunikation auf allen Kanälen

Vielleicht haben Sie Ihr Smartphone angeschafft, um endlich Ihre E-Mails unterwegs lesen und beantworten können. Oder, weil Sie sich mit Ihren Freunden und Kollegen über Facebook oder Twitter austauschen möchten – auch dann, wenn gerade kein großer Bildschirm in der Nähe ist.

Vielleicht wollen Sie das aber gar nicht, und es genügt Ihnen, SMSe schneller tippen zu können als auf der 10er-Tastatur.

In jedem Fall sind Sie richtig bei Android, dem Freund der digitalen Vernetzung.

- Rufen Sie E-Mails von beliebigen Konten ab: Google Mail, MS Exchange und allen anderen.
- Erweitern Sie die Möglichkeiten durch zusätzliche E-Mail-Apps.
- Schreiben und lesen Sie SMS und MMS schnell und komfortabel.
- Kommunizieren Sie billiger und besser mit Internet-Nachrichtendiensten.
- Chatten Sie beruflich oder privat mit Google Talk.
- Bleiben Sie über Facebook und Twitter in Kontakt mit Ihrer Community.

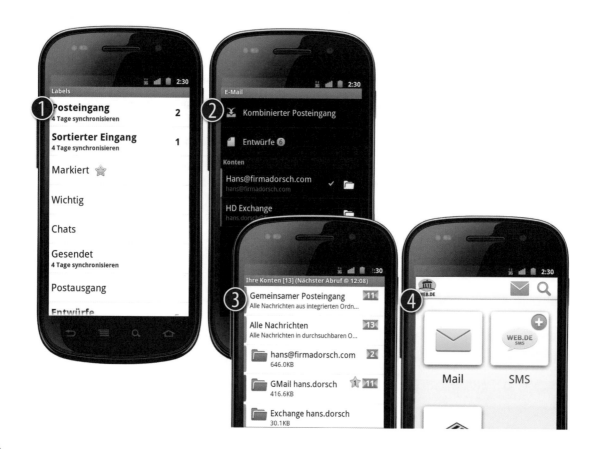

E-Mail ganz wie Sie sie möchten

Ihr Android-Smartphone besitzt von Haus aus zwei E-Mail-Apps, die je nach Anbieter unterschiedliche Bezeichnungen haben können. Weil es aber immer Bedürfnisse gibt, die beide nicht erfüllen können, gibt es viele hervorragende Alternativen zum Download. Zwei davon stelle ich Ihnen ebenfalls vor.

❶ **Google Mail** arbeitet perfekt mit Googles Mail-Angebot zusammen und unterstützt dort mehrere Adressen. Wenn Sie Ihr Konto bei Google Mail (oder Gmail) schon ausgiebig nutzen oder Ihre bisherige E-Mail-Adresse durch eine von Google ersetzen wollen, ist dies die beste App, die Sie nutzen können.

❷ **E-Mail** ist das Programm, mit dem Sie alle anderen E-Mail-Konten abfragen können. Wenn Sie eines oder mehrere Konten bei einem anderen Provider haben und Ihre Mails über POP3, IMAP oder Microsoft Exchange empfangen, bietet dieses Programm die wichtigsten Grundfunktionen. Das ist zwar recht aufgeräumt, aber auch arm an Funktionen. Sie können zum Beispiel nicht in Ihren Mails suchen.

❸ **K9** empfehle ich, wenn Sie IMAP oder Exchange (nur Versionen vor 2010) verwenden und die umfassenden Möglichkeiten Ihres Desktop-Programms auch mobil nutzen wollen. Diese Weiterentwicklung der Google-App lässt fast keine Wünsche offen. (Google Mail kann K9 übrigens auch.)

❹ **GMX** und **Web.de** gibt's auch für Android: Die großen deutschen E-Mail-Dienste machen es sich und Ihnen leicht. Sie bieten eigene Apps für ihre Dienste. Mehr dazu folgt später in diesem Kapitel.

172

Google Mail: E-Mail-Nachrichten anzeigen und organisieren

Nutzer von Google Mail sagen, es sei der beste E-Mail-Dienst, den es gibt. Tatsächlich hat Google es geschafft, die Nutzung dieser immer noch am weitesten verbreiteten Kommunikationsform im Internet so einfach und effizient wie möglich zu machen: Google Mail geht richtig flüssig von der Hand.

❶ Öffnen Sie die App Google Mail. Der Posteingang Ihres Hauptkontos öffnet sich. Oben links sehen Sie das aktuelle Label, hier den Posteingang. Ein Tipp führt Sie zur Liste aller Labels. Mit diesen Labels (Etiketten) können Sie in Google Mail Ihre E-Mails verwalten. Im Unterschied zum klassischen Ordner kann eine Mail verschiede Labels haben.

❷ Sie können mehrere Google Mail-Konten auf einem Gerät nutzen. Tippen Sie auf den Kontonamen oben rechts, um zwischen ihnen zu wechseln.

❸ Neue Nachrichten werden fett angezeigt. Wie am Computer sehen Sie die wichtigsten Daten auf einen Blick: Betreff, Absender (oder Absenderin) und die Information, ob die Mail Anhänge hat. Tippen Sie auf eine Nachricht, um sie zu öffnen.

❹ Mit dem Stern markieren Sie interessante Nachrichten. Tippen Sie einfach darauf. Sie finden sie später unter dem Label Markiert.

❺ Die Checkboxen sind immer sichtbar. Markieren Sie eine oder mehrere Nachrichten, um sie gleich im Posteingang zu verarbeiten.

❻ Wählen Sie in der Aktionsleiste Archiv, um die Nachricht zu archivieren (ein Google Mail-Konto bietet derzeit über 7 GB Speicherplatz, da müssen Sie nicht sparsam sein). Löschen entfernt die Mail endgültig.

❼ Tippen Sie auf Labels, um Nachrichten mit Etiketten zu versehen. Diese Mail versehe ich mit dem Label 1 Bearbeiten, weil ich sie nicht jetzt, aber im Laufe des Tages beantworten will. Nachrichten können beliebig viele Labels haben. (In Kapitel 9 zeige ich Ihnen, wie Sie mit E-Mail-Labels oder -Ordnern Ihre E-Mail richtig in den Griff bekommen.)

Google Mail: Nachrichten lesen und beantworten

Google Mail organisiert Mails in Konversationen oder Threads. Wenn Sie auf eine E-Mail antworten, sehen Sie deshalb immer die komplette Unterhaltung – schön aufgeräumt natürlich.

❶ Die erste Zeile zeigt den Betreff und die Labels der Mail.

❷ Die Kopfzeile zeigt die wichtigsten Infos: Name und E-Mail-Adresse; bei Google-Kontakten zeigt ein Punkt den Online-Status. Der grüne Punkt zeigt, dass Heidi bei Google Talk online ist. Tippen Sie auf Details, um zum Beispiel eine Liste aller Empfänger anzuzeigen.

❸ Android zeigt alle Mails an, egal, ob im HTML- oder im Textformat (bei HTML-Mails wählen Sie Bilder anzeigen). Webadressen werden zu Links. Ein Tipp öffnet sie im Browser.

❹ Mit den Tasten am unteren Rand können die Mail direkt archivieren oder löschen. Mit den Pfeilen wechseln Sie zur nächsten Mail (hier im Posteingang).

❺ Die Zurück-Taste bringt Sie zur vorherigen Liste – den Posteingang oder die Liste eines Labels.

❻ Die Menü-Taste erlaubt es unter anderem, das Label zu ändern, die Mail als ungelesen zu markieren oder uninteressante Threads zu ignorieren. Die Option Posteingang bringt Sie von jeder Position aus dorthin zurück.

❼ Tippen Sie auf das Aktionsmenü im Kopf der Mail, um auf die Mail zu reagieren: Beantworten Sie die Mail, leiten Sie sie weiter, oder sichern Sie ein Bild im Fotoalbum.

❽ Bilder im Anhang werden verkleinert direkt in der Mail angezeigt, andere Dateien, wie PDF- und Office-Datenformate, erst nach dem Tipp auf Vorschau. Herunterladen sichert ein Bild in Ihrer eigenen Galerie.

❾ Die Vorschau öffnet den Anhang mit der passenden Anwendung, hier mit dem PDF-Viewer oder der Galerie für Bilder. Alle Android-Geräte haben ein Werkzeug zum Anzeigen von PDFs. Googles Nexus S bietet zum Beispiel das Think Free Office Mobile, mit dem Sie auch Office-Dateien anzeigen können.

Google Mail: Nachricht beantworten und Konversation anzeigen

Mit den aufgeräumten Konversationen (Threads) verlieren Sie auch bei langen E-Mail-Briefwechseln nicht den Überblick. Sie sehen immer, an welcher Stelle der Unterhaltung Sie sich befinden.

❶ Tippen Sie in einer Mail auf den Pfeil Antworten.

❷ Eine neue Nachricht wird erstellt. Geben Sie Ihre Antwort in das Textfeld ein.

❸ Entfernen Sie den Haken bei Text anzeigen, wenn Sie die ursprüngliche Antwort nicht anzeigen möchten. Möchten Sie in Ihrer Antwort direkt auf einzelne Stellen der Mail Ihres Partners Bezug nehmen, wählen Sie Inline antworten.

❹ Tippen Sie auf den Briefumschlag am oberen Rand, um die Mail zu versenden. (Die kleine Diskette speichert den Entwurf.)

❺ Erhalten Sie auf Ihre Mail eine Antwort, zeigt Google Mail die vorherigen Nachrichten unter dem gleichen Betreff an. Tippen Sie hier auf 2 gelesene Nachrichten, um sie anzuzeigen.

❻ Alle Nachrichten werden als Liste angezeigt, inklusive der ersten Zeile. Tippen Sie auf einen Eintrag, zum Beispiel auf den Namen, um eine Nachricht vollständig anzuzeigen. Tippen Sie noch einmal darauf, um sie wieder zusammenzuklappen.

Neuer Betreff, neue Konversation

Google Mail fasst alle Nachrichten mit dem gleichen Betreff zusammen. Die Unterhaltung beginnt deshalb immer in der ersten Zeile der Nachricht. Wenn Sie in einer Antwort den Betreff ändern, startet Google Mail eine neue Konversation.

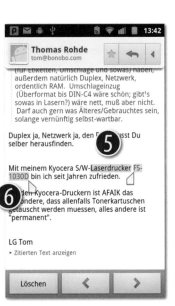

Mails durchsuchen und andere Kleinigkeiten

Ich bin Mitglied einer E-Mail-Liste für selbstständige Webarbeiter. Dort ist ziemlich was los, weshalb ich alle Nachrichten automatisch mit einem Label versehen und aus dem Posteingang verschwinden lasse (das können Sie über die Web-Oberfläche einstellen). Wenn ich aber eine Frage zu einem bestimmten Thema habe, suche ich dort – und in allen meinen anderen Mails – mit der Lupe.

❶ Tippen Sie auf die Suchtaste unter dem Bildschirm oder wählen Sie Menü → Suche. Geben Sie Ihren Suchbegriff ein, oder tippen Sie auf einen der Begriffe im Suchverlauf.

❷ Tippen Sie auf Los, um die Suche zu starten.

❸ Google Mail sucht in allen Ordnern, auf dem Gerät und online. Das Ergebnis sehen Sie in der Liste. Der aktuelle Suchbegriff steht ganz oben links.

❹ Tippen Sie auf eine Nachricht, um sie zu lesen. Ist sie noch nicht auf dem Gerät, wird sie jetzt geladen.

❺ Der Suchtext wird in der Mail hervorgehoben (leuchtend gelb).

❻ Möchten Sie die Bezeichnung gleich herauskopieren? Tippen Sie lange auf ein Wort (oder eine kryptische Zeichenkombination) im Text. Das Wort wird ausgewählt. Ziehen Sie dann an den Anfassern, um den gewünschten Text auszuwählen. Ein Tipp auf die Auswahl kopiert ihn in die Zwischenablage.

Google Mail: E-Mails schreiben und versenden

Auf dem Android-Smartphone eine E-Mail zu schreiben funktioniert zwar grundsätzlich genauso wie am Computer. Ein paar Einzelheiten lohnen dennoch eine kurze Beschreibung.

❶ Wechseln Sie in den Posteingang, und tippen Sie Menü → E-Mail schreiben. (Dieser Schritt ist nicht abgebildet.)

❷ Das aktuelle E-Mail-Konto ist ausgewählt. Aus dem Menü können Sie auch ein anderes Absenderkonto wählen.

❸ Tippen Sie den Namen des Empfängers in das Feld An. Android sucht in Ihren Kontakten und zeigt passende E-Mail-Adressen. Tippen Sie auf den Eintrag in der Liste, um ihn einzusetzen.

❹ Tippen Sie weitere Empfänger in das Empfängerfeld.

❺ Kopien (CC) und Blindkopien (Bcc) fügen Sie über die Menü-Taste ein.

❻ Tippen Sie ebenfalls im Menü auf Anhang. Wählen Sie dann eine beliebige Datei über den Datei-Explorer zum Beispiel von der SD-Karte, oder, wie in diesem Fall, ein Bild aus der Galerie.

❼ Überprüfen Sie die Mail, und tippen Sie auf das kleine Briefchen am oberen Bildrand zum Senden. Tippen Sie auf die kleine Diskette, um die Nachricht zu speichern. So können Sie die Mail auch später fertigstellen. Sie finden sie unter Entwürfe. Dort können Sie sie öffnen und weiterbearbeiten – nicht nur am Smartphone, sondern auch am Computer mit Google Mail im Browser unter mail.google.com.

Beam mit Twonky
Dropbox
Twitter
Google Mail ②
E-Mail
Mail
K-9 Mail

Weitergeben   🗑 Löschen   ▼ Mehr

①

③ Mail schreiben

hans.dorsch@gmail.com ▼

An

Betreff

IMG_20110522_094423.jpg   ✕
1,9MB

q w e r t z u i o p
a s d f g h j k l
⬆ y x c v b n m ⌫
?123 @ ◄ Deutsch ► . ⤶

⑤ Alle ausw.   3 Elemente   Keine ausw.

④

⑥ Weiterg   🗑 Löscher   ▼ Mehr

Alles Mögliche per Mail verschicken

Wenn Sie Fotos, Videos oder Dateien per Mail verschicken möchten, tun Sie das am besten von dem Ort aus, an dem diese zu finden sind. Eigene Fotos oder Videos versenden Sie also am besten direkt aus der Galerie:

❶ Öffnen Sie Fotos, und rufen Sie ein Bild auf, das Sie verschicken möchten. Tippen Sie lange auf das Bild, bis das Menü erscheint.

❷ Tippen Sie auf Weitergeben, und wählen Sie Google Mail aus der Liste.

❸ Eine neue Mail mit dem Foto als Anhang wird erstellt. Jetzt fehlen nur noch der Empfänger, ein Betreff und eine Nachricht.

❹ Um mehrere Bilder zu verschicken, öffnen Sie ein Album in der Galerie (hier ist es das Album Kamera, in dem alle neuen Bilder abgelegt werden). Tippen Sie dann lange auf ein Foto, bis es markiert ist.

❺ Am oberen Rand sehen Sie, wie viele Bilder gerade ausgewählt sind. Tippen Sie auf Keine ausw., um die Auswahl zurückzusetzen.

❻ Tippen Sie auch hier Weitergeben, und wählen Sie Google Mail als Ziel aus.

Dateianhang zu groß? Nehmen Sie YouTube

Selbst bei kurzen Videos sagt Ihr Android schnell mal »Dateianhang zu groß«. Kein Wunder: Schließlich nehmen aktuelle Smartphones Videos in HD-Qualität auf. Da sind die 25 MB, die Google Mail für Anhänge zulässt, schnell überschritten. Mein Tipp: Schicken Sie diese Videos doch einfach zu YouTube, und teilen Sie Ihren Freunden danach den Link mit. Wie das geht, lesen Sie in Kapitel 12.

Telekom/T-Online	Um Ihre Mail auf dem Smartphone abzurufen, benötigen Sie ein E-Mail-Passwort. Informationen zu IMAP finden Sie hier:http://bit.ly/imap-telekom
GMX	IMAP ist bei GMX erst mit einem ProMail-Account nutzbar. Identifizierung mit "Kennwort" nötig, Benutzername ist die E-Mail-Adresse. Alternative: GMX-App
WEB.DE	Setzt eine Mitgliedschaft im Web.de-Club voraus. Identifizierung mit "Kennwort" nötig, Benutzername ist Ihr E-Mail-Accountname (vor dem @). IMAP-Infos hier: http://bit.ly/imapwebde
FREENET	IMAP nur mit freenetMail POWER möglich. Identifizierung mit "Kennwort" nötig, Benutzername ist die E-Mail-Adresse. Hinweis: Der SMTP-Serverport sollte eingestellt sein auf: 587). IMAP-Einstellungen finden Sie hier: http://bit.ly/imapfree
ARCOR	Identifizierung mit "Kennwort", Benutzername ist der E-Mail-Accountname (vor dem @) Informationen zur Einrichtung von IMAP mit Arcor http://bit.ly/imaparcor
Hotmail/Windows Live	Keine IMAP-Option, nur POP3.

E-Mail überall auf dem gleichen Stand mit IMAP

Mobile E-Mail macht erst richtig Spaß, wenn sie nahtlos mit der Mail auf dem Computer zusammen-arbeitet: Nachrichten, die Sie am Computer gelesen haben, sollen auch auf dem Smartphone als gelesen markiert sein, Entwürfe, die Sie auf dem Smartphone gesichert haben, möchten Sie auf dem Computer weiterbearbeiten und versenden. Und wenn Sie in einer Mußestunde unterwegs Ihren Posteingang am Smartphone aufräumen (E-Mails löschen und verschieben), wollen Sie das natürlich auch am Computer sehen. Nutzen Sie deshalb E-Mail per IMAP.

Bei IMAP (Internet Message Access Protocol) werden E-Mails immer auf dem Server gespeichert, und zwar mit den gesamten Einstellungen. Auf dem Smartphone liegt immer nur ein Abbild der angezeig-ten Mail. Alles, was Sie mit einer Mail auf dem Smartphone tun, geschieht auch auf dem Server. So sind alle Geräte immer auf dem gleichen Stand.

Stellen Sie auf IMAP um

Wenn Sie auf Ihrem Computer Ihre E-Mail noch mit dem alten POP-Standard abfragen, sollten Sie Ihre Einstellungen dort unbedingt ändern. Denn POP und IMAP vertragen sich nicht besonders gut.

Wenn Sie Ihre Mails bei einem Freemailer über das Web abfragen, müssen Sie dort nichts ändern. IMAP ist bei den meisten verfügbar (teilweise gegen Aufpreis, siehe Punkt ❶ in der Abbildung). Alle bekannten Webhoster bieten IMAP inzwischen auch bei den Einsteigerpaketen an (Strato, 1&1 oder Domainfactory).

Wenn es sein muss: POP3 richtig abrufen

Falls Sie doch ein E-Mail-Konto mit dem veralteten POP3-Protokoll abrufen wollen oder müssen, achten Sie darauf, dass Ihre Mails beim Abruf nicht vom Server gelöscht werden. Denn sonst sind sie für alle anderen Clients (z.B. Outlook auf dem Computer) verloren. Wählen Sie dazu beim Einrichten in E-Mail unter Einstellungen für Eingangsserver bei der Option »E-Mail von Server löschen« Nie ❷.

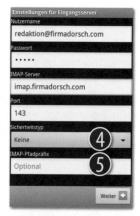

E-Mail: IMAP-Konto einrichten

Für alle E-Mail-Konten, die nicht von Google oder einem Exchange-Server kommen, empfiehlt sich das IMAP-Protokoll. Halten Sie Ihre Zugangsdaten bereit. Ein IMAP-Konto ist bei Android schnell eingerichtet:

❶ Öffnen Sie die App E-Mail, und wählen Sie Menü → Konto hinzufügen.

❷ Geben Sie Ihre E-Mail-Adresse und Ihr Passwort ein, und tippen Sie auf Weiter.

❸ Wählen Sie als Kontotyp IMAP.

❹ Geben Sie im nächsten Schritt die Daten für den E-Mail-Zugriff an. Wenn Ihr Anbieter verschlüsselte E-Mail über SSL anbietet, sollten Sie diese nutzen. Dann können Ihre Nachrichten auch in unsicheren Netzwerken, zum Beispiel öffentlichen Hotspots, nicht mitgelesen werden. Alle Daten erfahren Sie bei Ihrem Anbieter oder beim Systemadministrator.

❺ Bei vielen Konten müssen Sie hier noch ein Pfadpräfix für den Stammordner eingeben. Meist heißt dieses IMAP. Sichern Sie die Einstellungen mit Weiter.

❻ Jetzt müssen Sie noch die Einstellungen für den Serverausgang eingeben. Auch hier geht es Weiter.

❼ Tragen Sie noch ein, wie oft das Konto abgefragt werden soll. Schließen Sie das Prozedere mit Weiter ab.

❽ Das Konto ist eingerichtet. Es taucht jetzt in der Liste Ihrer Konten bei E-Mail auf.

E-Mail mit Exchange nutzen

Wenn Sie mich fragen, ist Microsoft Exchange das beste Produkt des Konzerns aus Redmond. Sie können damit nicht nur E-Mails verwalten, sondern auch Kalender und Adressbücher unternehmensweit verfügbar machen. Und so können Sie Ihr Exchange-Konto einmal anlegen und in allen Anwendungen nutzen, die es unterstützen – zum Beispiel in E-Mail:

❶ Richten Sie ein Exchange-Konto ein. Wie das geht, lesen Sie in Kapitel 3, Exchange-Konto verbinden. (Tipp: Es ist kinderleicht.)

❷ Ist Ihr Konto eingerichtet, öffnen Sie E-Mail, um es zu nutzen.

Die Konten bei Android oder »Es gibt keinen Schritt 3«

Android verwaltet Zugangskonten zentral, in den Einstellungen für Konten & Synchronisierung. Apps, die sich mit einem Dienst verbinden, müssen die nötigen Zugangsdaten nicht separat speichern, sondern holen sie einfach aus dieser Zentrale. Ist der Zugang noch nicht eingerichtet, legen Sie ihn zentral ab, so dass andere Apps wieder darauf zugreifen können. Eine feine Sache.

E-Mail: Nachrichten vom Exchange- oder IMAP-Konto abrufen

E-Mail ist ein komfortables Programm zum Abrufen von Mails aller Google-fremden Konten. Es zeigt alle unter der gleichen Oberfläche übersichtlich an. Hier sind drei Konten eingerichtet: zwei mit IMAP und eines mit Microsoft Exchange.

❶ E-Mail startet mit der Übersicht aller Konten. Wenn nicht, tippen Sie auf Menü → Konten. An erster Stelle finden Sie den kombinierten Posteingang. Dieser fasst die neuen E-Mails aller Konten zusammen. Auch die Entwürfe aller Konten sind in einem Ordner zusammengefasst.

❷ Darunter finden Sie die Liste aller E-Mail-Konten. Sie sind mit Farben versehen (am linken Rand), so dass man sie im kombinierten Posteingang zuordnen kann. (Ändern lassen sich diese Farben aber leider nicht.)

❸ Tippen Sie auf den Namen eines Kontos, um dessen Posteingang zu öffnen, und auf den Ordner, um die Ordnerliste anzuzeigen. In Exchange liegt übrigens eine neue Mail.

❹ So sieht der kombinierte Posteingang aus. Ich tippe auf die ungelesene Mail in meinem Exchange-Postfach.

❺ Die Mail-Ansicht ist der von Google Mail ähnlich. Die Pfeiltasten am oberen Rand führen zur nächsten oder zur vorherigen Nachricht

❻ Ein Tipp auf den Namen öffnet das Quickconnect-Fenster, der Stern oben rechts markiert die Nachricht. Diese Markierung sehen Sie später auch am Computer.

❼ Bilder und Dokumente lassen sich mit einem Tipp auf Öffnen anzeigen. Speichern sichert Dokumente auf der SD-Karte und Bilder in der Galerie.

❽ Mit den Tasten am unteren Rand können Sie Antworten, Allen Antworten oder die Mail löschen.

❾ Über die Menü-Taste können Sie eine Mail Weiterleiten oder als Ungelesen markieren.

❿ Zum Posteingang zurück geht's mit der Zurück-Taste.

E-Mail: Nachrichten über das Exchange- oder IMAP-Konto senden

Android E-Mail ist für den Mail-Verkehr über alle Konten zuständig, die nicht von Google sind. Um eine Mail über Ihr Exchange- oder IMAP-Konto zu versenden, starten Sie also hier – und fahren Sie an jedem beliebigen Gerät mit dem gleichen Mail-Zugang fort.

❶ Wechseln Sie in den Posteingang, tippen Sie auf Menü → Schreiben. Wenn Sie im kombinierten Posteingang starten, wird Ihr Standardkonto verwendet. Das verwendete E-Mail-Konto sehen Sie immer oben rechts. (Um ein anderes Absendekonto zu wählen, wechseln Sie in dessen Posteingang und wählen dort Menü → Schreiben.)

❷ Tippen Sie den Namen des Empfängers in das Feld An. Android sucht in Ihren Kontakten und zeigt passende E-Mail-Adressen. Tippen Sie auf den Eintrag in der Liste, um ihn einzusetzen. Schreiben Sie weitere Empfänger ebenfalls in dieses Feld. Auch hier wird Ihre Eingabe natürlich automatisch ergänzt.

❸ Kopien (CC) und Blindkopien (Bcc) fügen Sie über die Menü-Taste ein. Auch die Funktion Anhang hinzufügen finden Sie hier.

❹ Überprüfen Sie die Mail, und tippen Sie am unteren Bildschirmrand auf Senden.

❺ Tippen Sie auf Als Entwurf speichern, wenn Sie die Nachricht später weiterbearbeiten möchten. Sie finden sie anschließend im Ordner Entwürfe auf dem Smartphone und in Outlook auf dem Computer. Dort heißt er Drafts.

Mehr Möglichkeiten mit K9

Wenn Ihnen die Möglichkeiten von E-Mail genügen, nutzen Sie dieses Programm. Wenn Sie allerdings E-Mails in Ordner verschieben oder nach Nachrichten in Ihren Postfächern suchen möchten, empfehle ich die App K9. Mehr dazu finden Sie auf der nächsten Seite.

Konto-Optioren

Öffnen

Nachrichten abrufen

Papierkorb leeren

Kontoeinstellungen

Erweitert

Anzeige

Liste der Nachrichten

Farbe des Kontos
Wählen Sie die Farbe, in der das Ko
Konten- und Ordnerliste dargestell

Anzeige der Nachricht

Bilder automatisch anzei
Immer

Scrolle Navigationsleiste
Leiste bleibt eingeblendet

Spam-Leiste
Zeige Sichern-, Verschieben- und Spam-
Schaltfläche.

Scrolle Spam-Leiste
Leiste bleibt eingeblendet

Ordner

Startordner
INBOX

Ordner anzeigen
Nur Hauptordner

Zielordner für Kopieren/
Alle außer Nebenordner

Ordner duchsuchen
Alle

Ordner für archivierte Obj
5 Archiv

Ordner für E   fe
Drafts

Ordner für gesendete Ob
Sent Messages

Ordner für Spam

exchange

Alle Nachrichten aus integrierten O...

Suchergebnisse: exchange

Exchange-Mail für dich
»Hans Dorsch [Firma Dorsch]   20.06.2011

Exchange-Mail für dich
»Hans Dorsch [Firma Dorsch]   20.06.2011

Collaboration for Mobile applicatio
Shweta Lodaya   03.05.2011

K9: E-Mail mit allen Möglichkeiten

Wenn Sie E-Mail-Konten von anderen Anbietern als Google nutzen, liefert das mitgelieferte E-Mail nur die wirklich notwendigen Funktionen. K9 ist eine Weiterentwicklung genau dieses Programms und bietet so gut wie alles, was sich E-Mail-Profis, aber auch Gelegenheitsnutzer nur wünschen können. Die Bedienung ähnelt den anderen Programmen. Schauen Sie einfach, welche Möglichkeiten sich bieten. Ich greife hier nur wenige heraus:

❶ K9 ruft alle Kontoarten ab (POP3, IMAP, Exchange bis Version 2007, Google) und stellt sie übersichtlich dar: Schwarz auf Weiß und mit gemeinsamem Posteingang.

❷ Tippen Sie lange auf ein Konto, um die Optionen anzuzeigen (nicht erschrecken, es sind viele). Wählen Sie Kontoeinstellungen.

❸ Wählen Sie Anzeige in der Übersicht. Passen Sie die Farbe des Kontos an (Mein Firmenkonto soll grün sein), und lassen Sie alle Bilder immer anzeigen (damit sehen HTML-Mails sofort besser aus).

❹ Wählen Sie Ordner, um die Ordner auf Android an Ihren Computer anzupassen. Verwendet Ihr Server den Ordner Drafts für Entwürfe, können Sie hier die Standardeinstellung ändern. Genauso passen Sie an, wo gesendete, archivierte und gelöschte Mails zu finden sind – damit Sie auf allen Geräten den gleichen Stand haben.

❺ K9 sucht nach E-Mails in allen Ordnern auf dem Telefon. Das sind alle Mails, die Sie schon abgerufen haben. Leider können Sie noch nicht auf dem Server suchen, aber diese Funktion steht bei den Entwicklern ganz oben auf der Aufgabenliste.

E-Mail von GMX und Web.de einrichten

Nutzen Sie E-Mail von GMX oder Web.de? Dann laden Sie sich deren App aus dem Market.

Die zwei beliebtesten Freemailer Deutschlands gehören zur gleichen Firma, united internet. Deshalb bieten beide eine vollwertige kostenlose E-Mail-App an, die den Vergleich mit Android-E-Mail nicht scheuen muss. Im Gegenteil: Mir gefallen beide sogar viel besser. Da beide Apps bis auf Name und Farbe praktisch gleich sind, beschreibe ich hier exemplarisch die App von Web.de.

❶ Installieren Sie die App WEB.DE Mail aus dem Market, und starten Sie diese. Nachdem Sie Ihre Zugangsdaten eingegeben haben, sehen Sie die Startseite mit den Diensten. Tippen Sie auf Mail. (Die anderen Tasten öffnen die SMS-App und die Newsseite im Browser.)

❷ Die Ordnerliste ist übersichtlich: Sie zeigt alle Ordner mit der Anzahl ungelesener Nachrichten an. Das Raster bringt Sie zurück zur Übersicht und die Lupe öffnet eine Suche über alle Mails.

❸ Tippen Sie auf Posteingang, um Ihre Mails zu lesen.

❹ Am unteren Bildschirmrand befinden sich eigene Tasten zum Verfassen neuer Mails und zum Aktualisieren Ihres Kontos. Ist eine Nachricht markiert, tauscht die App diese gegen die Tasten für Gelesen, Löschen und Fertig aus. Das ist clever.

❺ Tippen Sie auf Menü, um weitere Optionen zur aktuellen Ansicht zu erhalten und die Konto-einstellungen zu bearbeiten.

❻ Aktivieren Sie in den Einstellungen Push Mail, wenn Sie neue Nachrichten sofort lesen wollen.

❼ Tippen Sie auf Kontakte übernehmen, wenn Sie Ihre Web.de-Kontakte in den Android-Kontakten anzeigen möchten.

IMAP für Premium-Kunden auch ohne App

Möchten Sie Mails von Web.de oder GMX mit Androids E-Mail-App verwalten? Das geht auch, allerdings nur mit dem veralteten POP3-Protokoll. Oder Sie leisten sich ein Premium-Konto. Dann ist IMAP dabei.

Alles drin in der Signatur

Eine Signatur ist etwas Praktisches: Anstatt Ihren Mailkontakten Ihre Kontaktdaten über das Telefon durchzugeben, sagen Sie einfach: »Meine Kontaktdaten stehen in meiner Signatur.«

❶ Am besten schreiben Sie die Signatur an einer beliebigen Stelle und kopieren diese dann in die entsprechenden Felder der E-Mail-Programme. Oder Sie schreiben sie am Computer und schicken sie per Mail. So ähnlich könnte Ihre Signatur aussehen:

–
Hans Dorsch, Schillingstraße 40, 50670 Koeln
http://about.me/hansdorsch,
Mail/GoogleTalk: hans.dorsch@gmail.com
Mobil: +49 151 1234567

❷ Google Mail: Öffnen Sie den Posteingang des gewünschten E-Mail-Kontos. Wählen Sie Menü → Mehr → Einstellungen. Tippen Sie auf Signatur. Geben Sie die Signatur ein und tippen Sie auf OK.

❸ E-Mail: Öffnen Sie den Posteingang des gewünschten E-Mail-Kontos. Wählen Sie Menü → Kontoeinstellungen. Tippen Sie auf Signatur. Geben Sie die Signatur und tippen Sie auf OK.

❹ K9: Hier ist die Einstellung etwas versteckt unter Menü → Mehr → Einstellungen → Kontoeinstellungen → Nachrichten verfassen → Verfassen von Nachrichten (puh, ist das ein langer Weg). Geben Sie hier Ihre Signatur ein, und wählen Sie Signatur verwenden.

❺ Ihr Empfänger kann jetzt Links direkt aufrufen und Telefonnummern aus dem Text in die Telefon-App kopieren (Android erkennt leider noch keine Telefonnummern).

Alternative: Signatur über Kurzbefehl

Mit dem alternativen Smart Keyboard können Sie Textbausteine speichern und über Kürzel einfügen. Ich tippe ssig, und meine Tastatur setzt meine komplette Signatur an jeder Stelle in den Text ein. Mehr dazu finden Sie weiter vorne in diesem Kapitel.

SMS – das essenzielle Kommunikationswerkzeug für unterwegs

Die App zum Senden und Empfangen von SMS- und MMS-Nachrichten heißt bei Android SMS/MMS. Mit SMS erreichen Sie praktisch jeden, der ein Mobiltelefon besitzt, denn diese Funktion unterstützt sogar das Uralt-Handy, das Sie vor Jahren an Ihre kleine Schwester weitergegeben haben. Deshalb ist dieser Dienst trotz der Internet-Konkurrenten immer noch so populär und praktisch.

❶ Öffnen Sie die App SMS/MMS. Die Liste zeigt alle Nachrichten als Threads (Unterhaltungen) gegliedert, genau wie Sie es von Mails in Google Mail kennen. Das erleichtert die Übersicht enorm. Ungelesene Nachrichten sind hervorgehoben (hier fett).

❷ Tippen Sie auf Neue Nachricht, um eine SMS oder MMS zu schreiben. Welches Format Sie benötigen, entscheidet Android, während Sie schreiben.

❸ Den Empfänger (auch mehrere) holen Sie aus den Kontakten, genau wie in Google Mail. Natürlich können Sie auch Telefonnummern eingeben. Trennen Sie dabei mehrere Einträge mit einem Komma.

❹ Tippen Sie dann in das Textfeld, und schreiben Sie Ihre Nachricht. Das Eingabefeld wächst nach unten, während Sie schreiben. Daneben werden die Zeichen angezeigt, die noch bis zur 160-Zeichen-Grenze fehlen. Das Nexus warnt Sie erst, wenn es knapp wird, und zählt die letzten zehn Zeichen runter. Längere Texte verteilt Android auf mehrere Nachrichten. Empfänger mit Smartphone erhalten diese als zusammenhängende Nachricht, andere (mit Uralt-Handys) sehen einzelne Nachrichten im SMS-Eingang. Mit Senden schicken Sie Ihre Nachricht ab.

❺ Smileys setzen Sie ganz schnell mit der speziellen Smiley-Taste ein. Dort finden Sie die wichtigsten Emoticons.

❻ So sieht Ihre vollständige Unterhaltung aus.

❼ Android erkennt Telefonnummern und Weblinks. Tippen Sie auf die Nachricht, um die Nummer zum Telefon zu schicken, oder den Link zu öffnen (der Link hier zeigt den Ort in Google Maps).

MMS – Bild und Ton für Ihre Nachrichten

Sobald ein Mobiltelefon ein Farbdisplay besitzt, unterstützt es auch den Multimedia Messaging Service (MMS), bei dem Sie Ihre Textnachricht mit Bild und Ton anreichern können.

MMS-Nachrichten erstellen Sie ganz automatisch – indem Sie eine Mediendatei anhängen. Sie können eine SMS also einfach mit einer MMS beantworten, wenn das, was Sie mitteilen möchten, über reinen Text hinausgehen soll.

❶ Wählen Sie Menü → Anhängen.

❷ Wählen Sie anschließend ein vorhandenes Medium aus der Liste, oder erstellen Sie eine neue Bild-/Video-/Sprachaufzeichnung). Die ausgewählte Datei (hier ein Bild) wird als Vorschau angezeigt. Jetzt schreiben Sie noch Text dazu, wenn gewünscht, und Senden.

❸ Der Empfänger empfängt Ihre MMS am besten ebenfalls per Smartphone.

❹ SMS und MMS erscheinen im gleichen Thread. Die Antwort auf die MMS mit dem albernen Bild kostet also nur den Preis einer normalen SMS und nicht 39 Cent, die Sie für eine bunte Nachricht in Deutschland bezahlen müssen.

Möglicherweise funktioniert MMS nicht sofort an Ihrem Smartphone. Dann sollten Sie Ihr Gerät schnell MMS-fit machen. Sonst erhalten Sie statt Bildern oder Videos von Ihren Freunden nur unpraktische Internetlinks.

- Schicken Sie eine MMS mit Ihrem Smartphone an sich selbst. Dann erkennt der MMS-Dienst bei Ihrem Provider, dass Ihr Gerät mit MMS umgehen kann.
- Klappt der Versand nicht, überprüfen Sie die MMS-Zugangspunkte unter Einstellungen → Drahtlos & Netzwerke → Mobilfunknetze → Zugangspunkte. Hilfe zu diesem Thema finden Sie unter http://www.android-hilfe.de/apns-internetzugangspunkte.

WhatsApp Messenger – die kostenlose Alternative zu SMS und MMS

Eine SMS kostet nicht die Welt (9 Cent), eine MMS ist da schon teurer (39 Cent). Wenn Sie viele Nachrichten verschicken und Freunde außerhalb Deutschlands haben, sollten Sie sich überlegen, auf einen Internet-Nachrichtendienst umzusteigen. WhatsApp ist wahrscheinlich zurzeit der populärste Dienst. Kein Wunder: Nachrichten mit WhatsApp sind kostenlos. Egal, ob Text, Bild oder Video – Sie zahlen nur für die Datenübertragung. Aber eine Internet-Flat haben Sie ja schon.

❶ Starten Sie WhatsApp, und melden Sie sich mit Ihrer Telefonnummer an. WhatsApp identifiziert Sie damit auf dem Server, so wie alle anderen Nutzer.

❷ Die App sucht jetzt in Ihren Kontakten nach Telefonnummern und findet alle WhatsApp-Nutzer. Sie werden über die Länge der Liste erstaunt sein. Wird die Liste nicht angezeigt, tippen Sie auf den Stift oben rechts, oder wählen Sie Menü → Neu.

❸ Schreiben Sie jetzt Ihre Nachricht. Die Textlänge ist nicht beschränkt.

❹ Mit einem Tipp auf die Büroklammer hängen Sie Dateien an: Fotos, Videos, Ton (die drei können Sie auch direkt aufnehmen), Kontakte (als vcf-Datei) oder Ortsinformationen. Setzen Sie unbedingt auch einmal die hübschen Emojis ein (so wie den kleinen Daumen hoch hier). Ein Tipp auf das Smiley öffnet ein Füllhorn kitschiger Grafiken.

❺ Mit Senden schicken Sie Ihre Nachricht ab.

❻ Die Antwort sehen Sie in einer hübschen Sprechblase unter Ihrer Nachricht. WhatsApp meldet neue Nachrichten auch mit Ton, Vibration und im Benachrichtigungsfenster.

Gruppenchats kostenlos – weltweit

WhatsApp gibt es für Android, iPhone, Blackberry und Nokia (Symbian). Da sollten fast alle Ihre Freunde dabei sein. Bei den jungen Leuten besonders beliebt ist übrigens der Gruppenchat – ebenfalls weltweit kostenlos.

Unterwegs chatten mit Google Talk

Ihr Smartphone ist permanent mit dem Internet verbunden. Damit können Sie für Ihre Kollegen und Freunde ganz einfach immer erreichbar sein. Manchmal ist das vielleicht lästig, aber häufig ist es sehr praktisch: Mit Google Talk können Sie in Kontakt bleiben, egal, wo Sie sind.

❶ Starten Sie (Google) Talk auf Ihrem Smartphone. Sie sind jetzt angemeldet und sehen die Liste Ihrer Kontakte. Tippen Sie auf Ihren Kontonamen, um Ihren Status zu ändern.

❷ Im Einstellungsfenster können Sie Ihren Status festlegen, und angeben, ob Sie unterwegs für Voice- oder Videochats zur Verfügung stehen.

❸ Die Kontaktliste zeigt den Status Ihrer Kontakte. Verfügbare Kontakte sind grün markiert (ansprechbar!). Aktive Chats sind hervorgehoben. Die kleine Kamera zeigt, dass sie auch per Videochat erreichbar sind. Tippen Sie auf einen Namen, um zum Chatfenster zu wechseln. (Tippen Sie auf die Kamera, um einen Videochat zu starten, siehe nächste Seite).

❹ Geben Sie Ihre Antwort ein, und tippen Sie auf Senden.

❺ Ihr Kontakt sieht Ihre Antwort sofort. Heidi Maier sitzt am Computer und liest Ihre Nachricht im Browser mit Google Mail.

❻ Sie können mit mehr als einer Person chatten. Öffnen Sie dazu einen bestehenden Chat, tippen Sie auf die Menütaste, und wählen Sie Zum Chatten einladen.

❼ Tippen Sie auf einen Freund in Ihrer Kontaktliste. Sie chatten jetzt zu dritt. Das macht manche Verabredung einfacher.

Google Talk nur mit dem ersten Konto

Das erste Google-Konto, das Sie auf Ihrem Smartphone einrichten, ist das einzige, das Sie mit Google Talk nutzen können. Möchten Sie ein weiteres Konto oder einen anderen Dienst nutzen, empfehle ich imo instant messenger. Die App erlaubt das Chatten über beinahe alle bekannten Internet-Dienste.

Audio- und Videochat mit Google Talk

Kennen Sie Feature Creep? Das ist das stetige Hinzufügen von Funktionen zu ursprünglich einfachen Produkten. Besonders häufig tritt diese Funktionitis bei Computersoftware auf. Auch Google Talk ist davor nicht geschützt. Aber Sprach- und Videonachrichten machen so ein Kommunikationswerkzeug erst richtig rund. Manches lässt sich mündlich einfach besser klären als per Text. Das funktioniert sogar über 3G (UMTS).

❶ Starten Sie einen Chat, und fragen Sie Ihr Gegenüber, ob sie oder er sprechen kann.

❷ Wählen Sie Menü → Mehr → Audio. Die Audioleiste wird eingeblendet.

❸ Sobald Ihr Kontakt Ihren Anruf angenommen hat, können Sie miteinander sprechen. Tippen Sie auf das Mikrofon oben rechts, um Ihr Mikrofon stumm zu schalten. Tippen Sie auf das ✖, um das Gespräch zu beenden. Der Chat bleibt weiterhin bestehen.

❹ Im Browser sieht das Chatfenster ähnlich aus. Auch hier können Sie Gespräche starten und beenden.

❺ Ist Google Talk auf Ihrem Smartphone aktiv, erhalten Sie eine Nachricht, wenn Sie zum Videochat eingeladen werden. Tippen Sie auf Akzeptieren, um die Einladung anzunehmen.

❻ Ihr Kontakt sieht Sie in seinem Chatfenster.

❼ Auch Sie können Ihren Kontakt groß auf dem Display sehen und sich selbst auf dem kleinen Bild kontrollieren. Tippen Sie auf den Bildschirm, um die Steuerelemente einzublenden.

❽ Mit der Sprechblase wechseln Sie zum Chat. Das Mikrofon schaltet Ihren Toneingang stumm. Das große ✖ oben rechts schließt den Videochat.

So klappt der Videochat auch mit dem iPhone

Auch mit Freunden, die iPhones nutzen, können Sie Videotelefonate führen. Empfehlen Sie ihnen, die App Vtok aus dem Apple App-Store zu laden. Die Videoqualität ist zwar nicht berauschend, aber vielleicht besser als gar nichts.

Facebook mit dem Smartphone nutzen

Wer sich zurzeit online mit Freunden vernetzen will, kommt um Facebook nicht herum. Wahrscheinlich haben Sie auch schon ein Konto dort. Das Android-Smartphone ist wie gemacht für die Verbindung mit Ihren Freunden. Viele Geräte integrieren den Dienst auf die eine oder andere Weise. Aber soll ich Ihnen etwas verraten? Das Original ist immer noch am besten. Ich empfehle daher dringend, die Facebook-App zu installieren. Damit macht mobiles Facebook am meisten Spaß.

❶ Installieren und starten Sie Facebook. Melden Sie sich dann mit Ihren Daten an. Sie gelangen auf die übersichtliche Startseite. Alle Facebook-Einzelheiten muss ich Ihnen sicher nicht erklären, die kennen Sie wahrscheinlich besser als ich. Interessant ist die Ecke oben links. Ein Tipp darauf bringt Sie immer zur Startseite zurück.

❷ Das Wichtigste bei Facebook: die Neuigkeiten Ihrer Freunde.

❸ Tippen Sie in das Nachrichtenfeld, um Ihre eigenen Neuigkeiten zu veröffentlichen. Hängen Sie ein Foto oder Video an, und tippen Sie dann auf Teilen.

❹ Die Liste lässt sich filtern. Tippen Sie oben rechts auf den Titel, und wählen Sie aus, was Sie sehen wollen: Alle Meldungen, nur Fotos oder nur die Neuigkeiten einer Ihrer Gruppen.

❺ Tippen Sie auf Orte. Hier finden Sie Ihre Freunde und zeigen, wo Sie gerade sind. So können Sie sich spontan treffen, wenn Sie wollen.

❻ Die Liste zeigt, wo Ihre Freunde gerade sind. Tippen Sie auf Wo bist du?, um Ihren eigenen Standort anzugeben.

❼ Die Cafe Bar ist schon als Ort angelegt. Tippen Sie darauf, und wählen Sie auf der nächsten Seite Ich bin hier.

Smartphone mit Facebook-Taste

HTC hat seinem ChaCha eine vollständige Tastatur verpasst und dazu noch eine blaue Facebook-Taste, die leuchtet, wenn eine Nachricht eingeht. Für Facebook-Abhängige ist das der direkte Weg zur Droge.

Twittern mit der Twitter-App

Ich mag Twitter, weil dieser Dienst so schön einfach und unaufdringlich ist: Was man zu sagen hat, fasst man in 140 Zeichen, und man folgt Leuten, die interessante Dinge sagen, ohne dass diese gleich zu Freunden werden müssen. Kaum zu glauben, wie sich dieser kleine sympathische Dienst seit seinem Start vor gerade einmal fünf Jahren entwickelt hat. Wenn Sie noch nicht dabei sind, melden Sie sich an, lesen und schreiben Sie mit, am besten mit der Twitter-App.

❶ Laden Sie Twitter aus dem Market, starten Sie die App, und geben Sie Ihre Zugangsdaten ein. Sollten Sie noch keinen Zugang haben, legen Sie ihn in der App an. Dabei will Twitter gar nicht viel wissen: Name und E-Mail-Adresse genügen. Den Benutzernamen und das Passwort suchen Sie sich selbst aus.

❷ Sind Sie angemeldet, sehen Sie Ihre Timeline, also alle Leute, denen Sie folgen. Die weiteren Menüpunkte zeigen Tweets (so heißen die Kurznachrichten), in denen Sie erwähnt werden, Direktnachrichten und Listen. (Besonders Letztere möchte ich nicht mehr missen. Ich habe nämlich eine Liste, die heißt Lieblinge. Dort hinein kommen Leute, die ich am liebsten lese.)

❸ Die Liste zeigt die vollständigen Nachrichten. Wollen Sie gleich antworten, retweeten oder einen Anhang speichern, drücken Sie lange, um das Aktionsmenü aufzurufen.

❹ Tippen Sie kurz auf einen Eintrag, um Links oder Hashtags zu folgen (#, genannt Hash, kennzeichnet Tweets, die ein gemeinsames Thema haben).

❺ Tippen Sie oben rechts, um eine Nachricht zu schreiben.

❻ Twitter vervollständigt automatisch die Benutzernamen von Leuten, denen Sie folgen. Tippen Sie einfach @, und schreiben Sie los. Mit den Tasten unter dem Textfeld hängen Sie ein Foto an und geben Ihre Ortsdaten frei (das Zielsymbol ist blau). Die blaue Tweet-Taste schickt Ihre Nachricht los.

Twitter-Kontakte in die Kontaktliste einbinden

Oh, die Wunder der API! Dass es so etwas wie Application Programming Interfaces gibt, muss Sie eigentlich gar nicht interessieren. Oder vielleicht doch: Denn diese Programmierschnittstellen sorgen dafür, dass Webdienste und Apps untereinander Daten lesen und austauschen können. Jeder Online-Dienst, der etwas auf sich hält, hat so etwas – und ein mobiles System wie Android natürlich erst recht. So erweitern die Online-Dienste Ihre Kontakteinträge mit Online-Daten, wenn Sie es wollen – dann ist die aktuelle Befindlichkeit Ihrer Freunde nur einen Tipp entfernt. Nehmen wir Twitter, meinen Lieblingsdienst:

❶ Öffnen Sie Twitter und dann Menü → Einstellungen. Sie können Ihre Twitter-Kontakte mit den Einträgen auf Ihrem Smartphone synchronisieren. Twitter verwendet dazu die E-Mail-Adressen Ihrer Kontakte.

❷ Ich empfehle die Option Mit bestehenden Kontakten synchronisieren, sonst füllt sich Ihre Kontaktliste mit allen Leuten, denen Sie bei Twitter folgen.

❸ Ihre Kontakte mit Twitter-Konto werden jetzt mit dem Twitter-Profilbild angezeigt. Der letzte Tweet ist gleich zu sehen, und ein Tipp auf das Vögelchen ruft die Profilseite bei Twitter auf. Das ist ziemlich praktisch.

Integration in verschiedenen Tiefen

Was die Geräte aus der Integration machen, ist unterschiedlich. Deshalb sehen die Kontakte bei Samsung, HTC und Motorola unterschiedlich aus. Wenn Sie Ihre Telefonkontakte von den Twitter- und Facebook-Freunden getrennt haben möchten, dann schalten Sie die Einbindung ab.

KAPITEL 8 | So wird Ihr Smartphone persönlicher, vernetzter und sicherer

Das Smartphone heißt nicht Smartphone, weil es selbst so schlau ist, sondern weil es Sie dabei unterstützt, schlaue Sachen zu tun. Viele dieser schlauen Sachen werden Sie häufiger tun, und deswegen werden Sie Ihr Smartphone immer dabei haben. Wie Sie Ihr persönliches Android anpassen und mit welchen schlauen Abkürzungen und Tricks Sie es virtuos nutzen können, lesen Sie auf den nächsten Seiten.

- Nutzen Sie Widgets statt Apps.
- Organisieren Sie Ihren Startbildschirm mit Verknüpfungen und Ordnern.
- Passen Sie Ihr Smartphone Ihren eigenen Vorstellungen und Vorlieben an.
- Teilen Sie interessante Dinge mit anderen.
- Speichern Sie Daten im Netz, auf dem Computer und auf dem Smartphone – alles gleichzeitig.

Alles im Blick mit Widgets

Das Armaturenbrett im Auto ist dem Startbildschirm Ihres Smartphones nicht unähnlich: Die wichtigsten Anzeigen und Instrumente müssen dort immer sichtbar und ohne Umwege erreichbar sein, denn während der Fahrt kann man nicht lange suchen. Bis auf die Hupe habe ich alle digitalen Hilfsmittel auf meinem Startbildschirm, die ich zur täglichen Fahrt durchs Leben brauche. Widgets heißen bei Android kleine Programme oder Steuerelemente, die Ihren Startbildschirm zum Cockpit machen. Ein Kalenderwidget zum Beispiel hält Sie immer über Ihre Termine auf dem neuesten Stand. Ich verwende das Simple Calendar-Widget aus dem Market.

❶ Drücken Sie lange auf eine leere Fläche, bis das Menü erscheint. Wählen Sie dann Widgets.

❷ Suchen Sie im nächsten Schritt in der Liste nach Simple Calendar. Tippen Sie darauf, um es zu verwenden.

❸ Viele Widgets lassen sich anpassen. Wählen Sie in den Einstellungen, wie Ihr Kalenderwidget aussehen soll. Simple Calendar bietet beinahe zu viele Möglichkeiten. Mein Tipp: Passen Sie das Erscheinungsbild an. Wählen Sie unter Oberfläche die Option SiMi Clock (mehrere Ereignisse).

❹ Ihre aktuellen und kommenden Termine werden jetzt auf dem Startbildschirm angezeigt. Tippen Sie auf das Widget, um den Kalender zu öffnen, und tippen Sie an den rechten Rand, um die Einstellungen aufzurufen.

Widget-Rechner

Widgets gibt es in verschiedenen Größen. Manchmal, so wie hier, in Normal, Large oder Medium oder auch in Rastermaßen von 1 bis 4, denn auf den Bildschirm passen in der Höhe und Breite jeweils vier Symbole. Ein Widget der Größe 4x4 füllt also den gesamten Bildschirm aus.

Kontakte suchen und direkt anrufen

Ihr Android hat eine ziemlich geniale universale Suche eingebaut, mit der Sie beinahe alle Inhalte auf Ihrem Smartphone finden können. Sie ist aktiv, wenn Sie sich auf dem Startbildschirm befinden, und öffnet sich über die Suchtaste, aber noch besser über das Widget.

❶ Legen Sie das Widget Suche auf Ihren Home-Bildschirm. So kommen Sie am schnellsten ran – und vergessen außerdem nicht, dieses praktische Werkzeug zu verwenden. Tippen Sie darauf, um die Suche zu öffnen. (Für mich ist bei der Platzierung immer wichtig, dass das Suchfeld mit dem Daumen erreichbar ist. Wie Sie das Widget installieren, sehen Sie weiter vorne in diesem Kapitel.)

❷ Geben Sie einen Namen aus Ihren Kontakten ein. Ich nehme Jonas.

❸ Sein Kontakt wird ganz oben angezeigt. Tippen Sie jetzt nicht auf den Namen, sondern auf das kleine Vorschaubild links davon (hier vergrößert, es heißt Quickconnect). Ein Popup-Menü öffnet sich, aus dem Sie direkt verschiedene Kontaktmöglichkeiten aufrufen können: Telefon, SMS, Mail, WhatsApp, Twitter. Streichen Sie nach rechts, um noch mehr zu sehen.

❹ Tippen Sie auf das Telefon und dann auf die Nummer. Jetzt wird Jonas' Nummer gewählt.

Kann ich auch das Mikrofon verwenden?

Die Spracherkennung bei Android funktioniert richtig gut. Leider können erkannte Wörter nur an die Google-Suche im Browser geschickt werden. Vielleicht ändert sich das in den nächsten Versionen.

Mit Verknüpfungen schnell zur richtigen App

Jeder Mensch ist unterschiedlich, und genauso unterschiedlich sind auch die Apps, die er am häufigsten benutzt. Damit diese schnell zur Hand sind, können Sie Verknüpfungen auf dem Startbildschirm erstellen. Für mich muss zuerst die Kamera auf den Startbildschirm:

❶ Öffnen Sie das Anwendungsmenü mit den installierten Apps. Tippen Sie dazu auf das Symbol im Launcher.

❷ Suchen Sie die Kamera-App. Drücken Sie dann lange auf das Symbol, bis der Startbildschirm wieder sichtbar wird.

❸ Das Symbol der App schwebt jetzt unter Ihrem Finger über dem Startbildschirm. Ziehen Sie es an die Stelle, an der Sie es haben möchten. Lassen Sie dann los.

❹ Das Symbol liegt jetzt auf dem Startbildschirm, bereit zur Verwendung.

Genauso einfach wie das Erstellen ist auch das Verschieben oder Löschen von Verknüpfungen:

❺ Drücken Sie lange auf das Symbol, bis es vergrößert erscheint und der Papierkorb sichtbar wird. Verschieben Sie das Symbol an eine andere Stelle, und lassen Sie es dort los. Ziehen Sie es an den linken oder rechten Rand des Bildschirms, um es auf einem anderen Startbildschirm abzulegen.

❻ Ziehen Sie das Symbol auf den Papierkorb, um es zu löschen.

Weitere Verknüpfungen

Nicht nur Apps lassen sich als Verknüpfung auf den Startbildschirm legen, auch Kontakte, Notizblöcke und Lesezeichen können Sie an einer Stelle sammeln. Mehr dazu folgt auf der nächsten Seite.

Mit Verknüpfungen direkt zu Ihren wichtigen Daten

Nicht nur Apps lassen sich auf dem Startbildschirm ablegen. Auch Ihre E-Mail-Postfächer, Notizen oder Telefonnummern sind über Verknüpfungen nur noch einen Tipp entfernt. So speichern Sie die Telefonnummer Ihres besten Freundes auf dem Startbildschirm:

❶ Drücken Sie lange auf eine leere Fläche, bis das Menü erscheint. Wählen Sie dann Verknüpfung.

❷ Wählen Sie aus dem Menü Direktwahl.

❸ Suchen Sie Ihren Freund in den Kontakten, und tippen Sie auf die Telefonnummer, die Sie wählen möchten.

❹ Ihr Freund landet mit Kontaktfoto auf dem Startbildschirm. Tippen Sie auf das Symbol, um ihn sofort anzurufen.

Verknüpfungen können auch kurzfristig sein. Wenn Sie die App Evernote installiert haben und gerade Stichpunkte zu einem bestimmten Thema sammeln (siehe Kapitel 9), legen Sie sich diese Notiz doch direkt auf den Bildschirm:

❺ Öffnen Sie wieder das Menü. Wählen Sie jetzt Notiz-Verknüpfung.

❻ Suchen Sie Ihre Notiz, und tippen Sie darauf. Ich wähle die Tourismus-Seminar Notizen.

❼ Die Verknüpfung liegt jetzt auf dem Startbildschirm. Ein Tipp öffnet sie in der App.

Apps erweitern das Menü

Viele Apps enthalten eigene Verknüpfungen, so wie hier Evernote. Diese erscheinen dann in der Liste der Verknüpfungen. Suchen Sie einfach mal danach.

Zum Startbildschirm hinzufügen

Verknüpfungen

Widgets

Ordner

Hintergründe

Ordner auswählen

Neuer Ordner

Alle Kontakte

Bluetooth empfangen

Delicious Bookmarks

Delicious Tags

Kontakte mit Telefonnummern

Markierte Kontakte

Ordner für alles, was zusammengehört

Eines der wichtigsten Organisationselemente der Neuzeit ist der Ordner, egal ob aus Pappe im Aktenschrank oder digital auf dem Computer. Zum Glück gibt es ihn auch auf dem Smartphone und anders als beim Original sind Sie dabei nicht auf flache Papierblätter beschränkt.

❶ Drücken Sie lange auf den Startbildschirm. Wählen Sie dann aus dem Menü Ordner.

❷ Wählen Sie aus dem nächsten Menü Neuer Ordner. Damit erstellen Sie einen leeren Ordner zum Sammeln von Verknüpfungen.

❸ Ein Ordner mit dem Namen Ordner liegt jetzt auf Ihrem Startbildschirm. Tippen Sie darauf, um ihn zu öffnen.

❹ Drücken Sie lange auf die Titelleiste. Geben Sie dann einen neuen Namen ein.

❺ Füllen Sie jetzt Ihren Ordner mit Verknüpfungen. Erstellen Sie zuerst die Verknüpfung auf dem Startbildschirm, und ziehen Sie sie dann auf den Ordner. Ich lege einen Ordner für einen Vortrag in Berlin an. Dazu gehört mein Projektordner in der Dropbox (siehe weiter hinten), eine gespeicherte Route in Google Maps, eine Direktwahltaste für einen Projektkontakt, eine Notiz in Evernote sowie das Lesezeichen einer interessanten Website.

❻ Legen Sie Ordner mit Verknüpfungen zu verschiedenen Themen an. Auf meinem ersten Startbildschirm finden sich die Ordner Dienstprogramme (mit Einstellungen und Werkzeugen), Kommunikation (E-Mail, SMS, Twitter etc.) und Arbeiten (Dropbox-Ordner, aktuelle Notizen, Aufgaben). Auf anderen Bildschirmen habe ich mir noch Listen für Musik, Foto/Video, Nachrichten und Spiele angelegt.

Eine Verknüpfung, mehrere Orte

Sie können Verknüpfungen so oft verwenden, wie Sie wollen. Denn es sind ja nur Verweise auf das Original. Legen Sie deshalb ruhig Ihre Mail-App in die Ordner Kommunikation und Arbeit. Das ist kein Problem.

Der Startbildschirm mit eigenem Hintergrund

Ihr Smartphone ist Ihr Smartphone. Am Gehäuse können Sie wenig ändern, aber den Hintergrund Ihres Startbildschirms können Sie selbst auswählen, ganz nach Stimmung oder modischem Trend:

❶ Drücken Sie lange auf eine leere Fläche, bis das Menü erscheint. Wählen Sie dann Hintergründe.

❷ Tippen Sie auf Galerie, um ein eigenes Hintergrundbild aus Ihrer Sammlung auszuwählen, eigene Fotos oder Downloads aus dem Web.

❸ Die Hintergrundbilder stammen vom Hersteller Ihres Smartphones. Da sind manchmal echte Perlen dabei. Schauen Sie sich diese mal an.

❹ Live-Hintergründe sind animierte oder interaktive Hintergründe. Sie reichen von zart im Wind wehenden Grashalmen bis zu Google-Maps-Karten, die Ihren Akku in kurzer Zeit leersaugen und den Bildschirminhalt unlesbar machen.

❺ Ich lade einen frischen, grünen Hintergrund aus der Galerie.

Stolpern Sie im Web über ein schönes Bild, können Sie es ebenfalls als Hintergrund festlegen:

❻ Rufen Sie eine Seite mit schönen Bildern auf, zum Beispiel www.poolga.com. Drücken Sie auf das Bild, bis ein Menü erscheint.

❼ Wählen Sie dann Als Hintergrund festlegen.

❽ Das war's. Das gespeicherte Bild schmückt jetzt Ihren Startbildschirm.

Ruhig gewinnt

Wenn Sie Ihren Startbildschirm mit Widgets, Verknüpfungen und Ordnern strukturieren, können Sie nichts weniger gebrauchen als einen unruhigen, bunten Hintergrund. Entscheiden Sie sich deshalb für ein dezentes, vielleicht sogar einfarbiges Motiv. Dann können Sie alle Elemente auf dem Bildschirm bestens erkennen.

Bildschirmdrehung ein- und ausschalten

Android-Smartphones passen die Bildschirmdarstellung automatisch der Lage des Telefons an. Das ist schön, denn so drehen Sie Ihr Smartphone einfach auf die Seite, um Fotos oder Filme im Querformat anzusehen. Wenn Sie aber auf dem Sofa mit einem Kissen gemütlich auf der Seite liegen und einen langen Artikel im Webbrowser lesen wollen, nervt diese tolle Funktion sehr schnell. Ihr Text legt sich dann nämlich nicht, wie ein Buch, mit Ihnen auf die Seite, sondern dreht sich in die Senkrechte. Wie gut, dass man diese Auto-Rotation abschalten kann – entweder mit Bordmitteln oder mit einer App aus dem Market:

1 Rufen Sie eine Browserseite auf, und drehen Sie das Display zur Seite. Im Normalfall dreht sich ab zirka 45 Grad der Displayinhalt.

2 Öffnen Sie die Benachrichtigungen (streichen Sie vom oberen Displayrand nach unten), und tippen Sie dort auf den Auto-Rotate Switch.

3 Drehen Sie jetzt Ihr Smartphone auf die Seite, und lesen Sie bequem Ihren Artikel weiter.

4 Smartphones von Samsung und HTC haben die Funktion schon ab Werk eingebaut, ebenfalls im Benachrichtigungsfeld. Tippen Sie hier beim Samsung Galaxy auf Automatisch Ausrichten.

Auto-Rotation Switch im Market

Die App Auto-Rotation Switch finden Sie kostenlos im Market. Sie ist sofort nach der Installation einsatzbereit.

Standardanwendungen festlegen – wie am PC

Wenn auf Ihrem Smartphone mehrere Apps installiert sind, die Fotos anzeigen oder bearbeiten können, fragt Android nach, welche App Sie benutzen möchten. Das ist praktisch. Wenn Sie aber Ihre Lieblingsapp gefunden haben, können Sie Android bitten, Sie nicht mehr zu fragen. Das ist noch besser.

1 Öffnen Sie eine Bilddatei, zum Beispiel in der Downloads-App. Ich habe hier einen Bildschirmhintergrund im JPG-Format geladen. Tippen Sie auf die Datei.

2 Android öffnet ein Menü und fragt, welche App verwendet werden soll. Markieren Sie jetzt das Feld neben Standardmäßig für diese Aktion verwenden.

3 Tippen Sie danach auf die App, die in Zukunft alle JPG-Dateien öffnen soll. Ich wähle die Galerie.

4 Möchten Sie die Einstellung wieder ändern, öffnen Sie Einstellungen → Anwendungen → Anwendungen verwalten. Suchen Sie dort nach der App, und tippen Sie darauf.

5 Suchen Sie auf der Detailseite nach dem Punkt Standardmäßig starten, und tippen Sie auf die Taste Standardeinstellung zurücksetzen. Beim nächsten Öffnen einer JPG-Datei wird Android wieder nachfragen.

Warum tauchen die Apps eigentlich auf?

Kann eine App mit bestimmten Dateiformaten oder Protokollen umgehen, teilt sie das bei der Installation Android mit. Android speichert diese Informationen in einer unsichtbaren Tabelle und hat sie so immer parat. So kann das System Bildformate zuordnen, so wie hier, oder Office-Dateien und PDFs. Haben Sie einen alternativen Browser installiert (davon gibt es eine große Menge), wird Android diesen anbieten, wenn Sie auf einen Weblink klicken.

Ringtone Maker

Search   Library

1   Ringtone Editor

If you like our app, please rate it in Android Market. Thank you very much.

Hotels.com Neue **Hotels.com** App für Ihre Hotelreservierung

Sleep The Clock Around - Belle & Sebastian

0:15   0:30   0:45

2

MP3, 44100 Hz, 192 kbps, 298.00 Sekunden

Start: 7.52
Ende: 30.30

3

Speichern unter:

Typ:
Rufzeichen ▼   4

Name:
Sleep The Clock Around

Speichern   Abbrechen

! ? . " ' '

q w e r t z u i o p

a s d f g h j k l

⇧ y x c v b n m ⌫

?123 🎤 ◄ Deutsch ► . ↵

Sleep The Clock Around - Belle & Sebastian

0:15   0:30   0:45

Erfolg

Gespeichert! Dieses Rufzeichen zum Standardrufzeichen machen oder einem Kontakt zuweisen?

5   Zum Standard machen

Einem Kontakt zuweisen

Schließen

Start: 7.52
Ende: 30.30

Erstellen Sie sich Ihren persönlichen Klingelton

Die große Zeit der Klingeltöne ist vorbei; viele Menschen haben ihr Telefon die meiste Zeit auf Lautlos gestellt, nicht nur, um ihre Mitmenschen nicht zu belästigen, sondern weil ihnen die mitgelieferten Klingeltöne nicht gefallen. Geht es Ihnen ähnlich? Dann machen Sie sich doch Ihren eigenen, mit dem Ringtone Maker:

❶ Installieren und starten Sie die App Ringtone Maker. Starten Sie dann den Ringtone Editor. Wählen Sie aus der folgenden Liste einen Titel aus der Musiksammlung auf Ihrem Smartphone aus.

❷ Der Editor öffnet sich. Mit den Anfassern können Sie jetzt einen Schnipsel aus dem Titel auswählen, den Sie gerne als Klingelton hätten. 30 Sekunden sind eine ganz gute Länge.

❸ Tippen Sie auf das Diskettensymbol, um den Ton abzuspeichern.

❹ Entscheiden Sie noch, ob Sie das Stück als Musik, Wecker, Benachrichtigung oder als Klingelton, also als Rufzeichen sichern möchten. Tippen Sie dann auf Speichern.

❺ Im letzten Schritt legen Sie den Ton als Standard für alle Anrufe oder als Klingelton für einen bestimmten Kontakt fest.

Den Ton können Sie natürlich jederzeit ändern. Wählen dazu Einstellungen → Töne → Klingelton.

Zugriff auf die Kontakte muss sein

Der Ringtone Maker kann auf alle Ihre Kontaktdaten zugreifen. Auch wenn sich im Market Benutzer darüber beschweren, anders kann die App Klingeltöne nicht bestimmten Kontakten zuweisen.

Smart schreiben mit alternativer Tastatur und Textbausteinen

Blackberrys können es, Palms können es, Word kann es: häufig verwendete Texte mit eindeutigen Kürzeln versehen und automatisch einsetzen. Anstatt immer wieder Mit freundlichen Grüßen zu tippen, schreiben Sie einfach mmfg. Das klingt praktisch? Mit einer alternativen Tastatur und ein paar Voreinstellungen kann Ihr Android das auch:

❶ Laden Sie die App Smart Keyboard aus dem Market (die Trial-Version ist kostenlos, erinnert nur ab und zu an den Kauf der Pro-Version für 1,99 EURO). Wechseln Sie dann zu Einstellungen → Sprache & Tastatur. Aktivieren Sie dort das Smart Keyboard mit einem Haken, und tippen Sie dann auf den Eintrag darunter für die Einstellungen.

❷ Wählen Sie im nächsten Schritt Textvervollständigung und dann Benutzerdefinierte Texte.

❸ Tippen Sie Benutzerdef. Text hinzufügen … Geben Sie in der ersten Zeile ein Kürzel ein. Ich gebe hier mailg ein. In die zweite Zeile schreiben Sie den Text, der eingesetzt werden soll, in diesem Fall meine Google Mail-Adresse. Bestätigen Sie mit OK.

❹ Geben Sie jetzt an einer beliebigen Stelle (hier ist es das Facebook-Anmeldeformular) Ihr neues Kürzel ein.

❺ Ihr Textbaustein erscheint in der Autokorrekturzeile. Tippen Sie ein Leerzeichen, um ihn automatisch einzusetzen.

❻ Smart Keyboard ersetzt die Originaltastatur durch eine eigene – das Layout können Sie anpassen. Tippen Sie lange auf die 123-Taste, um die Einstellmöglichkeiten zu erforschen.

Doppelt zu einzigartigen Abkürzungen

Kürzel sollten leicht zu merken und gleichzeitig eindeutig sein. Ich nutze deshalb häufig doppelte Anfangsbuchstaben: ssig = Signatur, hhd = Hans Dorsch, mmob = meine Mobilnummer.

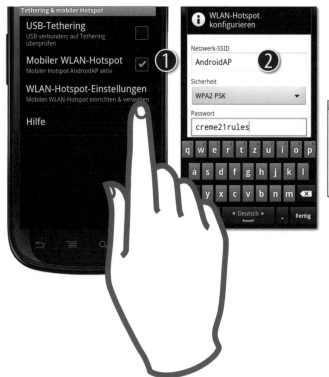

Mobiler Hotspot – Internetverbindung mit anderen Geräten nutzen

Haben Sie auch so einen USB-Stick, um Ihr Notebook unterwegs mit dem Internet zu verbinden? Überlegen Sie schon mal, wem Sie das kleine Ding schenken werden, denn Sie brauchen es jetzt nicht mehr. Ab jetzt nutzen Sie nämlich die Internetverbindung Ihres Android-Phones – wenn Sie wollen, sogar zusammen mit mehreren Freunden.

❶ Öffnen Sie Einstellungen → Drahtlos und Netzwerke → Tethering & mobiler Hotspot. Aktivieren Sie das Feld Mobiler WLAN-Hotspot mit einem Haken.

❷ Tippen Sie auf WLAN-Hotspot-Einstellungen und dann auf WLAN-Hotspot konfigurieren. Ändern Sie den Namen Ihres Hotspots, wenn Sie mögen, und geben Sie ein Passwort für Ihren Hotspot ein (am besten eines, das Sie aussprechen können).

❸ Rufen Sie jetzt die WLAN-Einstellungen Ihres Computers auf. Am Mac klicken Sie dazu einfach auf das Symbol in der Menüleiste. Wählen Sie den neuen Hotspot aus, und geben Sie das Kennwort ein. Sie sind jetzt verbunden.

❹ Ob der Zugang aktiv ist oder nicht, sehen Sie am kleinen Symbol in der Menüleiste.

Hotspot erst ab Android 2.2

Der Mobile Hotspot ist erst seit Version 2.2 Teil des Android-Systems. Viele Geräte mit früheren Versionen besitzen eigene Apps für diese Funktion. Beim Motorola Defy zum Beispiel sorgt die App 3G Hotspot dafür, dass Sie Ihr Telefon als WLAN-Hotspot einsetzen können.

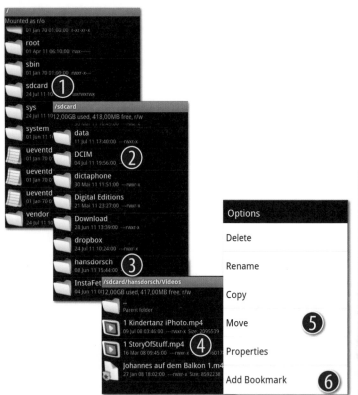

Explorer – Dateien auf der SD-Karte verwalten

Android funktioniert ähnlich wie ein Computer, und der Speicher funktioniert ähnlich wie Ihre Festplatte im Computer. Mit einem Dateimanager können Sie, wie am Computer, Dateien ansehen, öffnen, kopieren oder verschieben. Mein Favorit heißt Explorer (von Speed Software). So finde ich schnell die Dateien, die ich vom Computer auf die SD-Karte meines Smartphones kopiert habe:

❶ Installieren und starten Sie den Explorer (es gibt ihn leider nur in Englisch, wenn Ihr Smartphone schon einen Dateimanager mitbringt, probieren Sie diesen vorher aus). Suchen Sie den Eintrag sdcard, und tippen Sie darauf, um den Inhalt anzuzeigen.

❷ Auf der SD-Karte (sdcard) speichern Apps Einstellungen und Dateien. Die Ordner heißen meist ähnlich wie die zugehörige App. So finden Sie heruntergeladene Dateien im Ordner Download. Fotos und Filme, die Sie mit der Kamera machen, finden sich allerdings im Ordner DCIM (Digital Camera Images), denn so heißen die Fotoverzeichnisse aller Digitalkameras.

❸ Tippen Sie auf einen Ordner, um den Inhalt zu sehen. Ich habe zum Austausch mit dem Computer einen eigenen Ordner angelegt, er heißt hansdorsch.

❹ Öffnen Sie Dateien direkt aus dem Ordner. Hier sind es Filme. Tippen Sie einfach darauf.

❺ Drücken Sie lange auf eine Datei, um sie zu verschieben (Move), zu kopieren, umzubenennen oder zu löschen.

❻ Erstellen Sie ein Lesezeichen, um schnell zu Ihren Lieblingsordnern oder -dateien zu gelangen.

❼ Tippen Sie auf Menü → Bookmarks, um alle Bookmarks anzuzeigen.

Vorsicht – Systemdateien

Genau wie andere Computer auch braucht Android bestimmte Dateien, um zu funktionieren. Wenn Sie nicht wissen, wozu ein Ordner gehört, verändern Sie besser nichts daran – es könnte sich um einen Systemordner handeln.

Dropbox – Online-Speicher mit Smartphone-Anschluss

Die Dropbox ist ein Ordner für digitale Daten im Internet, auf den Sie mit allen Ihren digitalen Geräten zugreifen können. Falls Sie jetzt sagen, das sei Ihnen viel zu umständlich, unzuverlässig und außerdem nicht mit allen Geräten zu nutzen, dann sollten Sie sie sich erst einmal anschauen. Bis zu 2 GB Online-Speicher können Sie kostenlos nutzen. Ich zeige Ihnen mal, wie sie funktioniert:

❶ Installieren Sie die Dropbox auf Ihrem Computer. Gehen Sie zur www.dropbox.com, klicken Sie auf Dropbox herunterladen, folgen Sie den Angaben, und legen Sie ein Konto mit einem sicheren Passwort an. Das Ganze dauert knapp zwei Minuten.

❷ Öffnen Sie dann den Ordner Dropbox auf Ihrem Computer. Legen Sie die Dokumente, an denen Sie arbeiten oder die Sie auf allen Geräten dabeihaben wollen, in die Dropbox. Ich habe die Ordner Eingang und Bearbeiten als Basis meiner verlässlichen Organisation angelegt. Alle Dateien, die Sie in die Dropbox legen, gleicht die Software sofort ab, ohne dass Sie etwas davon merken.

❸ Installieren Sie jetzt Dropbox auf Ihrem Smartphone (kostenlos im Market), starten Sie die App, und melden Sie sich mit Ihren Benutzerdaten an. Nach dem Öffnen sehen Sie den Inhalt des Dropbox-Ordners, wie er auf Ihrem Computer zu sehen ist. Tippen Sie auf einen Ordner, um den Inhalt zu sehen.

❹ Tippen Sie auf eine Datei, um sie anzuzeigen. Alle Formate, die Ihr Smartphone darstellen kann, können Sie auch in der Dropbox öffnen. Das sind Bilder, Musik, Filme, Text und meist auch PDF-Dateien.

❺ Drücken Sie lange auf eine Datei, um sie herunterzuladen. Alle Downloads werden im Ordner Dropbox auf der SD-Karte gespeichert.

Dropbox – große Dateien mit anderen teilen

Manchmal halte ich Vorträge oder leite Workshops. Häufig kommt es vor, dass mich Leute fragen, ob ich Ihnen nicht die Unterlagen schicken kann, damit sie sie auf ihrem Computer ansehen oder selbst weiterbearbeiten können. Das kann ich, denn sie liegen in meiner Dropbox, und ich kann auch darauf zugreifen, wenn ich am Freitag Nachmittag gemütlich den Tag in der Café Bar ausklingen lasse.

❶ Öffnen Sie die Dropbox, und navigieren Sie zu dem Ordner, in dem sich Ihre Dateien befinden. Bei mir heißt er Android-exchange.

❷ Drücken Sie lange auf eine Datei oder einen Ordner, um einen Link zur Dropbox freizugeben. Ich gebe den ganzen Ordner tourismus_apps frei; er enthält unterschiedliche Dateien.

❸ Wählen Sie aus dem Menü zuerst Einen Link freigeben und dann Google Mail, um den Link per E-Mail zu verschicken.

❹ Android erstellt eine E-Mail-Nachricht mit einem Download-Link. Schreiben Sie noch ein paar Worte dazu, vielleicht einen Hinweis zur Dateigröße, und schicken Sie die Nachricht ab.

❺ Ihr Empfänger erhält die Nachricht und kann die Datei oder den Ordner über den Link auf den Computer laden.

❻ Dropbox verschickt Ordner als Zip-Archive. Die lassen sich auf jedem Computer öffnen.

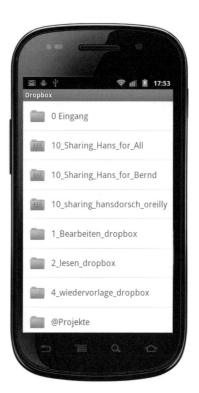

Die Dropbox und die Sicherheit

Die Dropbox zu benutzen ist einfach wunderbar. Egal, ob Sie alleine mit mehreren Computern oder Mobilgeräten arbeiten oder Ordner mit Freunden oder Kollegen teilen; der früher so komplizierte Abgleich von Daten läuft hier ganz einfach im Hintergrund. Dennoch sollten Sie sich darüber im Klaren sein, dass sich alle Daten, die sich im Dropbox-Ordner Ihres Computers befinden, immer auch in der Cloud, also irgendwo im Internet befinden. Wie sicher diese dort sind, hängt auch von Ihnen ab.

- Die Übertragung der Daten zwischen Ihren Geräten und der Dropbox erfolgt verschlüsselt. Das gilt für Zugangsdaten und für Dateien.
- Alle Dateien außerhalb der Ordner Public und Photos sind privat und nur für Sie zugänglich. Andere Nutzer können nur auf Ordner zugreifen, die Sie für diese freigeben.
- Ihre Daten werden verschlüsselt auf Servern von amazon gespeichert.
- Dropbox-Angestellte dürfen nur auf Metadaten zugreifen (Dateinamen und Speicherorte). Dropbox-Mitarbeiter dürfen Ihre Dateien in Ihrem Dropbox-Ordner nicht sehen.
- Sie können Ordner auf Ihrem Mac oder PC selbst verschlüsseln (z.B. als »Disk Image« (virtuelle Festplatte) mit 256-Bit-AES) oder mit Werkzeugen wie Truecrypt in die Dropbox legen und dort nutzen. So sind Sie völlig unabhängig von den Sicherheitsmaßnahmen, die Dropbox nutzt.
- Leider lassen sich verschlüsselte Ordner zurzeit noch nicht mit Android öffnen. Es gibt allerdings Apps, die Daten verschlüsselt speichern und die Dropbox zur Ablage nutzen. 1Password gehört zu dieser Gattung (siehe weiter hinten).

Mehr Sicherheitstipps

Lesen Sie auf der nächsten Seite weiter. Dort finden Sie Hinweise zur Online-Sicherheit. Den Dropbox-Sicherheitsüberblick finden Sie online unter www.dropbox.com/privacy#security.

Der smarte Umgang mit privaten Daten

Ein Smartphone ohne Internet-Zugang ist wie ein Auto, bei dem nur der erste Gang funktioniert. Sie können ein bisschen damit fahren, aber außerhalb des Parkplatzes merken Sie, dass etwas fehlt. Schalten Sie dann die restlichen Gänge frei, fängt der Spaß richtig an – es wird aber auch gefährlicher.

Deshalb habe ich ein paar Hinweise zusammengestellt, wie Sie Apps wie Dropbox oder Evernote (siehe Kapitel 9) praktisch nutzen und trotzdem nicht die Kontrolle über Ihre privaten und vertraulichen Daten verlieren.

Sichern Sie Ihre Zugänge

- Verwenden Sie für jedes Online-Konto ein einmaliges, sicheres Passwort. Mehr dazu finden Sie auf der nächsten Seite.
- Aktivieren Sie die Zugangssperren an Ihrem Computer und Ihrem Smartphone. (Richten Sie auf Ihrem Computer ein Benutzerkonto ein, falls Sie noch keines haben.)
- Sichern Sie vertrauliche Office-Dateien mit Kennwörtern (MS Office lässt sich zum Beispiel mit Documents to go oder Quick Office öffnen).

Setzen Sie Ihren Verstand ein

Zwischen Ihren Online-Daten und den neugierigen Augen anderer steht nur Ihr Username und Ihr Passwort. Sollten Sie also einmal Opfer eines Phishing-Angriffs oder eines Passwort-Diebstahls werden, kann Ihr Online-Speicher zur Quelle aller Ihrer persönlichen Daten werden.

- Speichern Sie deshalb persönliche Daten nicht unverschlüsselt – weder offline noch online. Nutzen Sie Apps wie 1Password.
- Wählen Sie aus, welche Daten Sie anzeigen möchten, und speichern Sie nur diese in der Dropbox oder in anderen Online-Werkzeugen.

Der smarte Weg zum sicheren Passwort

Hacker, die die Zugangsdaten von Mitgliedern eines großen Online-Dienstes gesammelt haben, kamen zur erschreckenden Erkenntnis, dass der Großteil der Nutzer Passwörter verwendet, die komplett unsicher sind. Dabei ist es gar nicht schwer, sicher online zu gehen. Mit diesen Tipps widerstehen Sie sogar Angriffen mit roher Rechengewalt:

- Ein Passwort sollte unterschiedliche Zeichen, Buchstaben, Zahlen und Sonderzeichen enthalten.
- Verwenden Sie keine einfachen Namen. Diese lassen sich rasend schnell mit einem sogenannten Wörterbuchangriff aushebeln.
- Sehr gut geeignet sind Sätze. Folgende Zeile aus einem Lied von Jan Delay habe ich schon als Passwort verwendet: »**U**nd **g**enau **d**arum, **m**öchte **i**ch **n**icht, **d**ass **i**hr **m**eine **L**ieder **s**ingt!«. Mein Passwort lautet dann: »Ugdmindim1s!« (Das L habe ich noch durch eine 1 ersetzt.)
- Lassen Sie Passwörter automatisch erzeugen. Der Mac hat ein solches Werkzeug eingebaut. Ich verwende dazu die App 1Password auf allen meinen Computern. Mehr dazu finden Sie auf der nächsten Seite.
- Verwenden Sie für jeden Dienst ein eigenes Passwort. So vermeiden Sie, dass Hacker Ihr Passwort an einer Stelle klauen und sich an anderer Stelle damit einloggen.
- Ach ja: Behalten Sie Ihre Passwörter für sich. Verraten Sie sie weder Ihrem Ehepartner noch Ihren Freunden oder Ihren Kindern. Nicht, weil Sie etwas zu verbergen hätten, sondern einfach, weil niemand sonst sie wissen muss.
- Ändern Sie Ihre Passwörter regelmäßig.

1Password – der mobile Safe für persönliche Daten

Das beste Passwort ist eines, das Sie sich selbst nicht merken können. Klingt paradox? Wenn das einzige Passwort, das Sie zurzeit verwenden, aber Michaela oder 1234 heißt, sollten Sie vielleicht über Ihre Sicherheitsstrategie nachdenken.

Diese Strategie könnte so aussehen: Speichern Sie alle Ihre PINs, Mitgliedsnummern, Kundennummern, Bankkonten, und Logins für Websites, auf die Sie mit dem Browser zugreifen, in einer Datenbank auf dem Computer, und sichern Sie diese mit einem Passwort ab.

Eine der bekanntesten Datenbanken heißt 1Password. Die App gibt es für Mac, Windows, iOS und Android. Zum Abgleich mit Ihrem Gerät speichert 1Password die Datenbank sicher nach dem AES–128–Standard verschlüsselt in Ihrer Dropbox (siehe vorherige Seiten). So kommt niemand an Ihre Daten, selbst wenn er Zugriff auf Ihren Speicher im Netz bekommt. Darauf können Sie sich verlassen.

❶ Installieren Sie 1Password auf Ihrem Computer (Mac oder Windows). Melden Sie sich dann an einer Website an, z.B. bei Bahn.de.

❷ 1Password kann sichere Passwörter erzeugen, speichern und automatisch einfügen.

❸ Im Programmfenster, das sich nur mit Ihrem Masterpasswort öffnen lässt, können Sie Logins und weitere Daten finden und verwalten. Diese werden verschlüsselt auf Ihrer Dropbox gespeichert.

❹ Öffnen Sie den 1Password Reader am Telefon, und suchen Sie in der Liste nach dem Login – entweder durch Blättern oder mit der Suchtaste. Tippen Sie dann auf den gewünschten Eintrag.

❺ Auf der Detailseite sehen Sie alle Einzelheiten zum Eintrag. Autologin ruft die Website im Browser auf und füllt die Login-Felder mit Ihren Daten aus. Brauchen Sie die Anmeldedaten für eine App, z.B. den DB Navigator, kopieren Sie einfach die Anmeldedaten. Ein langer Druck auf das Feld Password kopiert Ihr Passwort in die Zwischenablage, aus der Sie es überall einsetzen können.

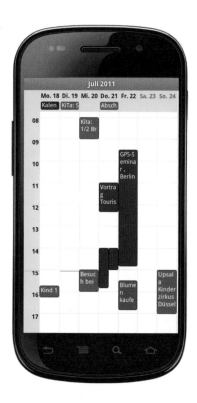

KAPITEL 9 | Termine, Aufgaben und alles andere geregelt kriegen

Es gibt Leute, die behaupten, wir wären nur Getriebene unserer Termine und sklavisch dem Kalender untergeordnet. Das mag bei manchem so sein. Es kommt allerdings darauf an, wie man die Werkzeuge nutzt: Mir gibt der Kalender Sicherheit. Auf dem Smartphone sehe ich, was heute ansteht. Was nicht darin steht, findet auch nicht statt. Aufgaben, die ich erledigen muss, stehen in meiner Aufgabenliste – immer. So behalte ich einen klaren Kopf. In der japanischen Zen-Lehre heißt das:

Mizu no kokoro - Der Geist ruhig wie das Wasser

Wenn mir zu Hause oder unterwegs etwas einfällt, ein Termin, eine Erledigung oder eine Idee, notiere ich sie immer sofort – auf dem Smartphone. Und regelmäßig nehme ich mir ein wenig Zeit, um die Einträge anzuschauen, zu bearbeiten und zu löschen.

Das Smartphone und der damit verbundene Speicher im Internet sind ein sicherer Ort, auf den Sie sich verlassen können. Alles, was Sie brauchen, sind ein Kalender, eine Aufgabenliste und ein Notizblock.

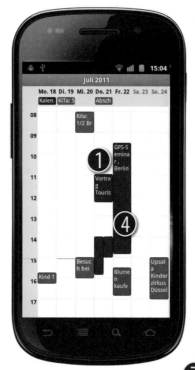

Juli 2011

Mo. 18	Di. 19	Mi. 20	Do. 21	Fr. 22	Sa. 23	So. 24

Kalen KiTa: S Absch

08 Kita: 1/2 Br
09
10 GPS-Seminar, Berlin
11 Vortrag Touris
12
13
14
15 Besuch bei
16 Kind 1 Blumen kaufe Upsala Kinderzirkus Düssel
17

Mittwoch, 10:00

Neuer Termin

Tag anzeigen

Terminübersicht anzeigen

Termindetails

Was
Telefonkonferenz O'Reilly

Von
Mi., 20.07.2011 | 10:00

Bis
Mi., 20.07.2011 | 11:00

Zeitzone
(GMT+2:00) Mitteleuropäische Zeit

Ganztägig ☐

Fertig | Rückgängig

Termin anzeigen

GPS-Seminar
Kalender: Hans Arbeit

22. Juli, 9:30 - 14:50
Berlin, DSFT

Erinnerungen
10 Minuten ▾ ⊖

Erinnerung hinzufügen ⊕

Erinnerung hinzufügen

Termin bearbeiten | Termin löschen

🔍 berlin, dsft

Stephankiez
-Moabit
rgarten
Berlin

Deutsches Seminar für Tourismus (DSFT) Berlin e.V. - die Tourismusakademie ›

Kreuzberg

Schöneberg

Tempelhof

Kalender mit Google benutzen

Der Android-Kalender ist grundsätzlich vernetzt. Was Sie auf dem Computer eintragen, steht Sekunden später auf dem Smartphone und umgekehrt. Alles lässt sich per Fingertipp erledigen.

❶ Öffnen Sie den Kalender. Er startet meist in der Wochenansicht und zeigt die Kalender aller mit Ihrem Smartphone verbundenen Google-Konten. (Hier sind mehrere Kalender angezeigt. Mehr dazu lesen Sie auf der nächsten Seite.) Drücken Sie lange auf einen freien Bereich, um einen neuen Termin einzutragen.

❷ Wählen Sie im Menü Neuer Termin, und geben Sie im nächsten Schritt die Daten ein.

❸ Tag und Uhrzeit sind schon voreingestellt. Geben Sie die Termindetails ein, und tippen Sie auf Fertig, um den Termin zu speichern. (Mehr zum Anlegen von Terminen finden Sie weiter hinten in diesem Kapitel.)

❹ Tippen Sie auf einen Eintrag, um Details dazu anzusehen.

❺ Zu diesem Eintrag wurde ein Ort eingetragen. Dieser ist verlinkt. Tippen Sie auf den Eintrag, um die Adresse in Google Maps zu öffnen.

❻ Orte und Firmenadressen werden ziemlich sicher gefunden. So haben Sie auf dem Weg zum Termin schon die Karte dabei. Tippen Sie auf die Zurück-Taste, um zum Termin zurückzukehren.

❼ Tippen Sie auf die Menütaste, um den Termineintrag zu bearbeiten oder zu löschen.

Kalender anzeigen

Je nachdem, wie und was Sie planen, ist es praktisch, die Termine unterschiedlich darzustellen. Da ist ein elektronischer Kalender der Papiervariante klar überlegen.

1 Öffnen Sie den Kalender. Hier erscheint zuerst die Anzeige für den Tag. Ganztägige Ereignisse sind am oberen Rand immer sichtbar. Streichen Sie nach oben und unten, um alle Termine des Tages anzuzeigen. Tippen Sie auf die Menütaste, um zwischen den Ansichten zu wechseln.

2 Die Wochenansicht ist wunderbar, um die aktuelle Auslastung zu sehen. Die Farben helfen dabei, zu sehen, ob Sie etwas tun müssen (Arbeit) oder dürfen (Familie).

3 In der Monatsansicht sehen Sie, an welchen Tagen Termine eingetragen sind. Das ist gut für die längerfristige Planung.

4 Mir gefällt am besten die Terminübersicht, eine Liste aller Tage mit meinen Terminen. Streichen Sie nach oben und unten, um schnell die nächsten Ereignisse zu sehen. Auch hier sind die Kalendereinträge farblich markiert.

5 Android kann den Kalender auch auf dem Startbildschirm darstellen, und zwar mit unterschiedlichen Widgets. So sehen Sie Ihre Tagesplanung, wenn Sie Ihr Smartphone starten. Wie Sie Widgets für den Kalender und andere Apps einstellen, lesen Sie in Kapitel 8.

Neuer Termin schnell erstellt

In allen Ansichten lassen sich neue Termine erstellen – entweder durch langes Drücken auf einen Tag oder eine Zeitspanne oder über Menü → Mehr → Neuer Termin. Das Datum richtet sich dabei nach der gerade angezeigten Zeitspanne.

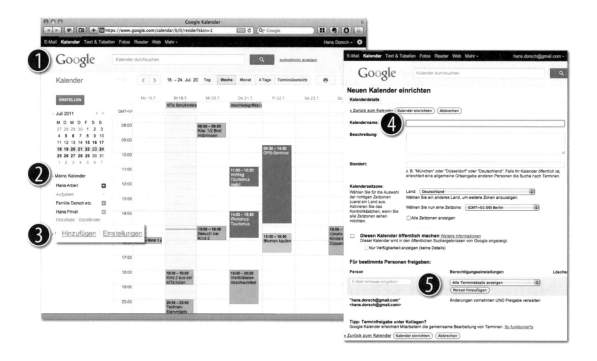

Google Kalender online verwalten

Wie gesagt: Der Android-Kalender ist grundsätzlich vernetzt. Was Sie auf dem Smartphone eintragen, steht Sekunden später auf dem Computer und umgekehrt. Sie können darauf zugreifen, wo und wie Sie wollen – und andere auch, wenn Sie es erlauben. Richten Sie am besten mehrere Kalender ein, so können Sie Berufliches, Privates und Öffentliches ganz einfach trennen und teilen. Das erledigen Sie am Computer im Webbrowser:

❶ Rufen Sie den Google Kalender im Web unter www.google.com/calendar auf. Melden Sie sich mit Ihrem Google-Konto an.

❷ In der linken Spalte sehen Sie den Abschnitt Meine Kalender. Ich habe drei Kalender angelegt:

- **Hans Arbeit**: Diesen Kalender können meine Mitarbeiter und meine Frau sehen und bearbeiten. Dazu habe ich ihn für sie freigegeben. Dieser erste Kalender ist der Hauptkalender. Er kann nicht gelöscht werden. Wenn Sie sich neu anmelden, trägt er Ihren Namen; meiner hieß also Hans Dorsch. (Dieser Hauptkalender ist übrigens der einzige, den Google Calendar Sync mit Outlook anzeigen und abgleichen kann, siehe dazu Kapitel 3.)

- **Familie Dorsch etc.**: Hier kommen Termine für die ganze Familie hinein. Alle Familienmitglieder können Termine sehen, eintragen und bearbeiten.

- **Hans Privat**: Dieser Kalender ist ganz alleine für mich da. Er ist nicht freigegeben, und nur ich kann sehen, was darin steht. Man muss schließlich auch einen Ort für Geheimnisse haben.

❸ Klicken Sie auf den Link Hinzufügen unter den Kalendern, um einen neuen Kalender zu erstellen.

❹ Geben Sie einen Namen für den Kalender und vielleicht eine Beschreibung ein.

❺ Stellen Sie hier ein, ob Ihr Kalender öffentlich einsehbar sein soll und ob bestimmte Personen ihn sehen oder auch bearbeiten können. Geben Sie dazu deren E-Mail-Adresse ein. (Ihr eigener Name ist immer freigegeben.) Klicken Sie auf Kalender einrichten, wenn Sie fertig sind.

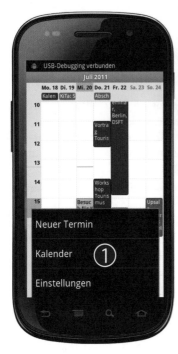

Kalender auf dem Smartphone auswählen und anzeigen

Für mich sind alle Termine gleich wichtig. Die Renovierung der Küche behandle ich genauso als Projekt wie ein neues Buch oder die Sportveranstaltungen der Kinder. Und alle diese Projekte und Kalender will ich auf meinem Smartphone sehen. Gut, dass Android alle Kalender anzeigen kann, die in Google Kalender angelegt sind.

❶ Öffnen Sie den Kalender auf Ihrem Smartphone, und wählen Sie Menü → Mehr → Kalender.

❷ Sie sehen alle Konten, deren Kalender mit Ihrem Smartphone verbunden sind. Hier sind es ein Exchange- und ein Google-Konto, die mit dem Gerät verbunden sind. Tippen Sie auf die Einträge, um die Inhalte anzuzeigen.

❸ Mit den kleinen Synchronisationstasten an den jeweiligen Kalendern legen Sie fest, ob ein Kalender mit dem Server synchronisiert wird und ob er in den Kalenderansichten sichtbar ist. Tippen Sie mehrmals auf die Taste, um zwischen den Einstellungen zu wechseln. Hier wird der Kalender Exchange synchronisiert und ist sichtbar.

❹ Schalten Sie beliebig viele Kalender ein und aus. Auch Kalender, die Sie im GoogleKalender abonniert haben, zeigt Android an. Mehr dazu auf der nächsten Seite.

❺ Kalender, die Sie gerade nicht interessieren, blenden Sie einfach aus. Mein Facebook-Kalender ist zeitweise so voll, dass er mir völlig die Übersicht nimmt – weg damit.

❻ Tippen Sie auf OK, um Ihre Änderungen zu speichern.

❼ Bei Google Kalendern übernimmt Android übrigens die Farben, die Sie im Browser eingestellt haben. Die Exchange-Kontofarbe wird dagegen automatisch erstellt. So können Sie an der Farbe sehen, zu welchem Kalender welcher Eintrag gehört, zum Beispiel hier in der Listenansicht.

Termindetails

Was

Zahnreinigung

Von

| Di., 26.07.2011 | 9:00 |

Bis

| Di., 26.07.2011 | 10:00 |

Zeitzone

(GMT+2:00) Mitteleuropäische Zeit

Ganztägig ☐

Wo

Dr. Eickhoff

Beschreibung

Terminbeschreibung

Kalender

Familie Dorsch etc.   ▼

Gäste

"heidimaier10@googlemail.com"
<heidimaier10@googlemail.com>,

Wiederholung

Einmaliger Termin   ▼

Erinnerungen

10 Minuten   ▼   ⊖

Erinnerung hinzufügen ⊕

| Fertig | Rückgängig |

🕐 9:00

+	+
09	00
−	−

| Speichern | Abbrechen |

Termin anzeigen

Zahnreinigung

Kalender: Familie Dorsch etc.

26. Juli, 9:00 - 10:00

Dr. Eickhoff

Teilnahme?

Ja   ▼

Vielleicht (1)

heidimaier10@googlemail.com   ⊗

Erinnerungen

10 Minuten   ▼   ⊖

Erinnerung hinzufügen ⊕

Kalendereinträge unterwegs erstellen

Natürlich können Sie im Kalender auf dem Smartphone nicht nur Ereignisse anzeigen, sondern auch ganz schnell eintragen. So können Sie beim Zahnarzt nicht nur nachschauen, ob Sie an einem bestimmten Tag Zeit für eine Zahnreinigung haben, sondern den unangenehmen Termin auch gleich eintragen. Das Terminkärtchen, das Ihnen die freundliche Zahnarzthelferin aushändigt, sollten Sie höflicherweise trotzdem annehmen.

❶ Öffnen Sie den Kalender, zum Beispiel in der Monatsansicht (Menü → Monat). Suchen Sie einen passenden Tag, und drücken Sie lange darauf. Ich wähle Dienstag, den 26. Juli. Wählen Sie aus dem Menü Neuer Termin.

❷ Geben Sie dann die Details für den Termin ein. Titel und Zeit genügen, das Datum haben Sie ja schon gewählt.

❸ Die Zeit lässt sich schnell über die Plus- und Minus-Tipptasten einstellen; aber auch über die Tastatur. Diese öffnet sich, wenn Sie in die Zeitanzeige tippen.

❹ Wählen Sie aus dem Menü, in welchem Kalender der Termin gespeichert werden soll. Hier ist es ein privater Termin, den alle Familienmitglieder sehen sollen.

❺ Laden Sie Gäste zum Termin ein (wenn Sie jemanden zum Händchenhalten brauchen). Die Gäste erhalten die Einladung per E-Mail oder direkt im Kalender.

❻ Lassen Sie sich an den Termin erinnern. Ändern Sie die Standardzeit, oder fügen Sie weitere Erinnerungen hinzu, zum Beispiel am Tag vorher. Tippen Sie auf Fertig, um den Termin einzutragen.

❼ So sieht Ihr Termin im Detail aus. Hier sehen Sie auch, wer zugesagt hat und wer nicht.

Den Kalender zum Informationstool erweitern

Der Google Kalender, den Sie mit Android nutzen, kann nicht nur Ihre eigenen Termine anzeigen, er ist auch offen für Termine von außen. Es macht so richtig Spaß, ihn mit Informationen anzureichern. Und wenn Sie sich als Outlook-Nutzer fragen, wo denn hier die Kalenderwochen sind, dann schauen Sie mal, wie einfach sich diese hineinzaubern lassen:

❶ Öffnen Sie Ihren Google Kalender am Computer im Webbrowser www.google.com/calendar. In der linken Spalte sehen Sie Weitere Kalender. Ich habe hier bereits einige angelegt: deutsche Feiertage, meine Facebook-Termine, Geburts- und Jahrestage, den Google Kalender meiner Kollegin Heidi, die Schulferien in NRW und, nicht zu vergessen, die Kalenderwochen (oder Wochennummern). Mehr zu den unterschiedlichen Kalendern lesen Sie auf der nächsten Seite.

❷ Fügen Sie jetzt die Wochennummern hinzu: Klicken Sie auf den Link Hinzufügen, und wählen Sie Interessante Kalender durchsuchen.

❸ Wählen Sie auf der folgenden Seite Weitere für eine Liste praktischer Kalender.

❹ Klicken Sie Abonnieren neben dem Eintrag Wochennummern. Ab jetzt wird immer am Montag ein ganztägiges Ereignis mit der aktuellen Wochennummer angezeigt.

❺ Schauen Sie jetzt auf dem Smartphone in den Kalender. Ihre abonnierten Kalender werden angezeigt. Hier sehen Sie die ganztägigen Ereignisse für die Kalenderwoche (Montag, blau, vollständig zu sehen in der Terminübersicht) und für die Schulferien (ganz oben, grün). Wo die Ferientermine herkommen, sehen Sie auf der nächsten Seite.

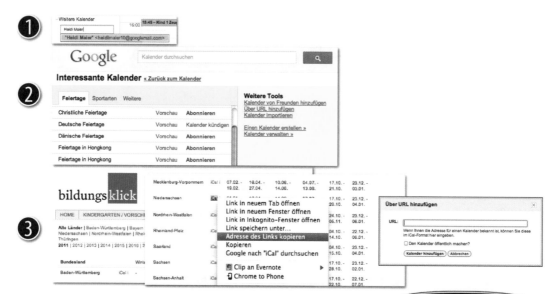

Vier Möglichkeiten, um den Google Kalender zu erweitern

Es gibt vier Möglichkeiten, Kalender hinzuzufügen. So kommen nicht nur Wochennummern, sondern ungleich mehr hinzu, wenn Sie wollen. Diese Möglichkeiten finden Sie, wenn Sie den Kalender im Browser am Computer aufrufen:

❶ **Kalender von Freunden hinzufügen**: Geben Sie die E-Mail-Adresse eines Freundes oder Mitarbeiters in das Eingabefeld ein. Hat er einen Kalender für Sie freigegeben, erscheint dieser in Ihrer Liste. Heidi hat Ihren Kalender Beruflich für mich freigegeben. Er taucht automatisch in der Liste auf.

❷ **Interessante Kalender durchsuchen**: Google stellt eine große Sammlung praktischer Kalendererweiterungen bereit. Die folgenden drei sollten in keinem Kalender fehlen:

- Deutsche Feiertage
- Geburts- und Jahrestage (aus den Google-Kontakten, bei Google Mail oder Google Kontakte)
- Wochennummern

❸ **Über URL hinzufügen**: Sie können beliebige Kalender aus dem Netz über deren Adresse (URL) in Ihren eigenen Kalender einfügen. Neue Termine werden dann automatisch hinzugefügt. Suchen Sie nach Kalendern im iCal-Format (.ics). Kopieren Sie die URL, und fügen Sie diese ein.

- Schulferien für Deutschland finden Sie bei www.bildungsklick.de/schulferien. Suchen Sie im Netz nach weiteren Angeboten.
- Online-Kalender zu bestimmten Themen. Viele Schulen und Unis bieten Kalender zum Abonnieren öffentlich an. Viele davon werden mit dem Google Kalender erstellt. (Suchen Sie mal nach der Carl-Orff-Realschule.)

❹ **Kalender importieren**: Fügen Sie Ereignisse im iCal- oder CSV-Format (z.B. von Outlook) in Ihren Kalender ein. Wählen Sie dazu eine Datei von Ihrem Computer aus.

Alle eigenen und weiteren Kalender können Sie auf Ihrem Android anzeigen und (wenn freigegeben) bearbeiten (❺).

Aufgaben und Listen verwalten mit Gtask

Ein Smartphone ohne Aufgabenlisten kann ich mir nicht vorstellen. Manche Smartphones bringen auch welche mit. Die kostenlose App GTask hat allerdings einen riesigen Vorteil: Sie verbindet sich mit der Aufgabenliste Ihres Google Kalenders. So können Sie die Listen auch am Computer bearbeiten.

❶ Installieren Sie GTask aus dem Market, und starten Sie die App. Melden Sie sich gleich mit Ihrem Google-Konto an. Richten Sie dann Listen ein, und füllen Sie diese mit Inhalten. Tippen Sie dazu oben links auf das Listensymbol.

❷ Erstellen Sie drei übergreifende Listen:
- **Eingang**: Sammeln Sie hier Aufgaben, die Ihnen zwischendurch einfallen, damit sie nicht verloren gehen.
- **Bearbeiten**: In diese Liste kommen Aufgaben, die Sie aktuell erledigen möchten.
- **Vielleicht/Später**: Diese Liste ist für Aufgaben oder Ideen, die Sie nicht vergessen möchten, die aber auch nicht wirklich dringend sind.

❸ Erstellen Sie dann Listen für Ihre Projekte, beruflich oder privat. Hier sind es Aufgaben, die für das **Android-Buch** erledigt werden müssen, **Einkäufe**, die unterwegs erledigt werden können, und eine Liste zur Vorbereitung eines **Grillfests**. Legen Sie so viele Listen an, wie Sie möchten. Öffnen Sie dann eine Liste.

❹ Erstellen Sie jetzt Ihre Aufgaben. Formulieren Sie möglichst aktiv und konkret. Tippen Sie dazu auf die kleine +-Taste oben rechts.

❺ Drücken Sie lange auf eine Aufgabe, um sie zu verschieben, einzurücken oder über das Weitergeben-Menü zu verschicken, zum Beispiel per E-Mail.

❻ Tippen Sie auf den Haken, um erledigte Aufgaben zu markieren.

❼ Tippen Sie auf eine Aufgabe, um sie zu bearbeiten.

❽ Bearbeiten Sie den Eintrag, oder verschieben Sie ihn in eine andere Liste. Tippen Sie auf Menü → In Liste verschieben. Ich wähle die Liste Bearbeiten.

❾ Alle Einträge finden Sie auch im Google Kalender im Web, rechts neben dem Kalender.

Evernote – Nehmen Sie Ihr Archiv mit

Sammeln ist gut – und digitales Sammeln ist besser. Aber was nutzt das schönste Archiv, wenn es auf der Festplatte des Computers weggeschlossen ist? Und wenn man etwas auf dem Smartphone mitnimmt, wie soll man entscheiden, was mitkommt und was zu Hause bleibt? Evernote löst dieses Dilemma. Diese digitale Dateiablage ist über das Internet immer aktuell und läuft gleichzeitig schnell auf allen Ihren Computern.

❶ Installieren Sie Evernote auf Ihrem Smartphone (aus dem Market) und auf Ihrem Computer (Mac oder Windows bei www.evernote.com/downloads). Richten Sie sich dann ein kostenloses Konto ein.

❷ Verfassen Sie eine Notiz am Computer. Notizen können Text-, Bild- und PDF-Dateien enthalten. Hier sehen Sie Textnotizen aus einem Seminar und einen Artikel zum Thema, den ich aus einer Zeitschrift mit dem Smartphone abfotografiert habe.

❸ Evernote gleicht die Notizen alle 5 Minuten mit dem Server ab oder sofort, wenn Sie auf die Taste Synchronisieren klicken.

❹ Öffnen Sie Evernote auf dem Smartphone. Wählen Sie auf der Startseite Alle Notizen oder ein bestimmtes Notizbuch, oder suchen Sie mit der Lupe nach einem Stichwort.

❺ Tippen Sie auf eine Notiz in der Liste, um sie zu lesen. Sie wird jetzt geladen.

❻ Wählen Sie Menü → Bearbeiten, um Änderungen an der Notiz vorzunehmen. Diese werden selbstverständlich wieder mit dem Computer abgeglichen.

Wozu ich Evernote nicht nutze

Obwohl es theoretisch geht, nutze ich Evernote nicht, um meinen Tagesablauf zu organisieren. Das ist zwar möglich, aber ich halte echte Kalender und Aufgabenlisten dafür für wesentlich besser geeignet.

Mit Evernote Belege sichern und suchen

»Haben Sie den Beleg dabei? Ohne kann ich Ihnen den Pullover nicht umtauschen«. Wer hebt schon die Kassenzettel aller Einkäufe auf? Und wenn, in welcher Kiste liegen die dann? Meine Sammelkiste heißt Evernote. Meine Einkaufszettel liegen damit als Bilder auf dem Smartphone und auf dem Server und sind immer zur Stelle, wenn ich sie brauche. Und weil bei Evernote jedes Bild mit der Texterkennung untersucht wird, kann ich nach dem Inhalt meines Zettels suchen.

❶ Installieren Sie das Evernote-Widget auf Ihrem Startbildschirm.

❷ Bei Tipp auf das Kamerasymbol öffnet Evernote die Kamera. Fotografieren Sie nach dem Einkauf den Kaufbeleg.

❸ Im Anschluss können Sie einen Titel und zusätzlichen Text hinzufügen, müssen das aber nicht tun. Tippen Sie aber unbedingt auf Speichern unten rechts. Die App schickt jetzt Ihre Bildnotiz an den Server, wo das Foto automatisch von der Texterkennung analysiert und durchsuchbar gemacht wird.

Wenn Sie jetzt Ihren Pullover (hier Sweater) nach zwei Wochen doch zurückgeben wollen, müssen Sie zum Umtausch nur Ihr Smartphone mit ins Geschäft nehmen – und den Pullover natürlich.

❹ Suchen Sie das Evernote-Widget auf Ihrem Startbildschirm, und tippen Sie auf die Lupe.

❺ Suchen Sie nach einem Begriff, den Sie mit dem Einkauf verbinden, zum Beispiel den Namen des Ladens. Ich suche nach apparel.

❻ Ihr Kassenbeleg taucht in den Suchergebnissen auf. Tippen Sie auf die Notiz, und zeigen Sie sie dem Verkäufer an der Kasse. Jetzt haben Sie alles, was Sie brauchen: Datum, Artikel, alles drauf. (Kaufnachweis nennt sich das.)

Zur Sicherheit

Alle Daten werden bei Evernote auf dem Server gespeichert. Dort sind sie streng gesichert. Die Anmeldung und der Datentransport geschehen über gesicherte Verbindungen. Sichern Sie dennoch Ihr Telefon ab, und beachten Sie die Sicherheitstipps in Kapitel 8.

KAPITEL 10 | Smart unterwegs – Ihr Smartphone kennt sich aus

Ihr Smartphone weiß immer, wo Sie sind; es verfügt über mehr Sensoren als die meisten Autonavigationssysteme und über leistungsfähige Apps, um die Ortsdaten zu nutzen. Unterwegs wird es so zu Ihrem persönlichen Assistenten, der Ihnen hilft, Ihren Weg zu finden – und Ihr Fortbewegungsmittel.

Bei den unter 20-Jährigen ist das eigene Smartphone mittlerweile wichtiger als das eigene Auto. Ich kann das gut verstehen, denn das Smartphone ist nicht nur Kommunikationsmittel, sondern auch die Schnittstelle zur persönlichen Fortbewegung. Das Smartphone schafft völlig neue Möglichkeiten der Bewegung im Raum. Sie können sofort anfangen, sie zu benutzen.

- Digitale Karten immer dabei
- Bahnverbindungen finden und buchen
- Transportmittel nach Bedarf mixen

Maps – von Ort zu Ort mit digitaler Hilfe

Google Maps kennen Sie vielleicht vom Computer. Im Webbrowser finden Sie Orte und Routen, weltweit oder ganz in der Nähe. Diese Anwendung können Sie auch auf Ihrem Smartphone nutzen. Sie heißt Maps und macht Stadtplan, Straßenkarte und möglicherweise bald auch Reiseführer überflüssig.

❶ Maps zeigt Ihren aktuellen Standort auf der Straßenkarte. Die Darstellung wird genauer, je mehr Sensoren die App für die Ortung nutzen kann.

❷ Tippen Sie auf den Kompass oben rechts, um in die perspektivische Darstellung zu wechseln. Hier dreht sich die Bildschirmdarstellung mit Ihrem Blickwinkel. Maps zeigt auch interessante Punkte, wie Restaurants oder U-Bahn-Haltestellen, als kleine Symbole an. Tippen Sie auf ein Symbol, um Details anzuzeigen.

❸ Tippen Sie in das Suchfeld, um einen Ort zu suchen. Suchen Sie einen Namen aus Ihren Kontakten, einen Firmen- oder Branchennamen oder eine Adresse. Meine Suche nach Alpenverein zeigt die Geschäftsstelle in Köln auf der Karte. Tippen Sie auf die Ortsmarke (so heißen die kleinen Stecknadeln), um Informationen anzuzeigen.

❹ Die Informationen zu diesem Ort liefert Google Places. Deshalb finden Sie auf dieser Detailseite auch Kontaktinformationen. Tippen Sie auf Karte, um zurückzukehren. Tippen Sie auf Route, um den Weg zu planen.

❺ Die Listentaste am unteren Rand zeigt alle Wegpunkte an. Die Pfeiltasten bringen Sie von einem Ort zum nächsten. Tippen Sie auf Navigieren, um die Sprachnavigation zu starten. Laufen oder fahren Sie jetzt los.

❻ Maps zeigt die Route von Start bis Ziel. Hier ist es der Fußweg, Sie können die Route auch für das Fahrrad oder öffentliche Verkehrsmittel (nicht in allen Städten) anzeigen lassen – und natürlich für das Auto.

❼ Am Ziel angekommen, zeigt Street View, wie der Ort aussieht, den Sie suchen. Den praktischen, aber auch umstrittenen Bilderdienst finden Sie nach einem Tipp auf eine Ortsmarke. Ein Tipp auf das Männchen unten bringt Sie zur Karte zurück.

Maps – mehr Informationen in Ihrer Umgebung

Die Welt ist voller Daten. Digitale Informationen liegen in unsichtbaren Schichten über Straßen und Feldern. Machen Sie diese Informationen sichtbar – mit Google Maps.

❶ **Verkehrslage** und **Satellitenbild**: Tippen Sie auf das Ebenen-Symbol in der Menüleiste am oberen Rand. Mit den Ebenen können Sie die Karte mit immer mehr Informationen und Funktionen anreichern. Hier ist die Kölner Innenstadt in der Satellitenansicht mit den aktuellen Staus (rot) und freien Abschnitten (grün) der Hauptverkehrsstraßen zu sehen.

❷ Blättern Sie im Menü, um weitere Daten einzublenden, von Buslinien bis zu Wikipedia-Artikeln zu interessanten Punkten. Wenn Ihnen das zu bunt wird, tippen Sie auf Karte leeren.

❸ Ein Tipp auf die Ortsmarke in der Menüleiste bringt Sie zu den Places, einer Sammlung interessanter Orte.

Ortsinformationen sind natürlich besonders in fremden Städten interessant, so wie hier in Salzburg. Aber das Laden über das Internet kann im Ausland schnell ins Geld gehen. Gehen Sie besser am Abend vor dem Ausflug über WLAN ins Netz, und laden Sie die Karten auf Ihr Smartphone.

❹ **Karten herunterladen**: Suchen Sie sich einen interessanten Ort, den Sie besuchen möchten. Tippen Sie auf Mehr und dann auf Kartenbereich herunterladen.

❺ Die Karte wird auf Ihr Smartphone geladen; das kann ein wenig dauern.

❻ Die schwarze Linie zeigt im Anschluss den Kartenbereich an, der auf Ihr Telefon geladen wurde.

Sie selbst liefern die Daten – oder auch nicht

Wissen Sie, woher die Verkehrsinformationen in Maps kommen? Von Ihnen und allen Nutzern der Google-Maps auf Smartphones. Denn Google misst die Bewegung der Geräte – wenn also auf einer Straße 50 Geräte sich sehr langsam in eine Richtung bewegen, heißt das Stau. Wenn Ihnen das unheimlich ist, schalten Sie die sogenannte Standortfreigabe unter Einstellungen → Standort und Sicherheit → Drahtlosnetzwerke ab.

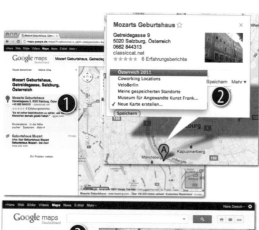

Eigene Karten sichern und unterwegs nutzen

Wenn Sie eine Geschäfts- oder Urlaubsreise planen, nutzen Sie möglicherweise Google Maps am Computer. Wenn nicht, sollten Sie es mal ausprobieren. Alle interessanten Orte, die Sie dort finden, können Sie unter Meine Karten sichern und während Ihrer Reise auf dem Smartphone anzeigen.

❶ Erforschen Sie die Umgebung mit Google Maps am Computer. Suchen Sie zum Beispiel nach Mozarts Geburtshaus. Klicken Sie auf den Eintrag oder eine Ortsmarke (Stecknadel), um die Informationen anzuzeigen.

❷ Klicken Sie dann auf den Link Speichern. Wählen Sie aus dem Menü eine bestehende Karte oder Neue Karte erstellen … Ich habe für meinen Urlaub die Karte Österreich 2011 erstellt. Die Karten werden in Ihrem Google-Konto gespeichert. Melden Sie sich mit dem gleichen Konto an, das Sie auf dem Smartphone verwenden.

❸ Über den Link Meine Orte in der Seitenleiste finden Sie die Liste Ihrer gespeicherten Karten und Orte. Hier sehen Sie die Liste meiner Einträge unter Österreich 2011. Diese Karte ist übrigens nicht öffentlich. Über den Link Zusammenarbeiten können Sie die Karte mit ausgewählten Freunden teilen und sogar gemeinsam bearbeiten.

❹ Öffnen Sie jetzt Maps auf dem Smartphone, und tippen Sie auf das Ebenen-Symbol.

❺ Suchen Sie den Eintrag Meine Karten, tippen Sie darauf, und wählen Sie dann Ihre Karte aus. Ich wähle Österreich 2011.

❻ Ihre Karte mit den gespeicherten Orten wird jetzt angezeigt.

Ihre Karten auch offline

Auch Ihre Karte können Sie zur Offline-Karte machen. Laden Sie den Kartenbereich herunter, wie auf der vorigen Seite beschrieben.

Bahnverbindungen mit dem DB Railnavigator finden

Der kostenlose DB Railnavigator gehört auf jedes Smartphone, wirklich. Mit dieser App finden Sie Zug- und Busverbindungen in ganz Europa und auch innerhalb Ihrer Stadt; vom ICE bis zum Stadtbus sind alle Linien drin. Sie glauben gar nicht, wo man überall ohne Auto hinkommen kann.

1 Legen Sie den Start- und Zielort fest. Geben Sie entweder einen Startort ein (Bahnhof, Haltestelle oder Adresse), oder lassen Sie sich vom Gerät orten. Ich möchte vom Kölner Hauptbahnhof in den Stuttgarter Westen fahren. Wählen Sie Suchen, um die Ergebnisse anzuzeigen.

2 Wenn Sie nicht sofort losfahren wollen (die aktuelle Zeit ist voreingestellt), geben Sie noch an, wann Sie fahren möchten. Tippen Sie dann auf Suchen.

3 Wählen Sie eine Verbindung aus der Ergebnisliste, um die Details anzuzeigen. Ich nehme die schnellste Verbindung mit den wenigsten Umstiegen (1x).

4 Die Detailseite enthält alle Infos, die Sie vor und während der Reise brauchen. Sie zeigt sogar live die aktuellen Verspätungen an.

5 Über das Menü können Sie Ihre Reise festmachen. Tippen Sie auf Handy-Ticket buchen – Ihre Fahrkarte kommt dann per MMS. Tippen Sie auf Speichern in Kalender – Ihre Fahrtdaten werden im Kalender eingetragen.

6 Verloren in der Provinz? Im Hauptmenü gibt es viele praktische Reisefunktionen: Take me Home liefert die nächste Verbindung zu Ihrem Heimatort (den Sie vorher eingeben müssen).

Ein bisschen Geschichte

Der DB Navigator ist eine wirklich durchdachte App. Das kommt davon, dass die Bahn bereits seit Mitte der 1990er-Jahre den Fahrplan für mobile Geräte aufbereitet. Damals schon konnte man auf dem Palm Organizer Reisen planen und die Reisedaten automatisch in den Kalender eintragen lassen. Die Fahrkarte musste man damals allerdings noch am Schalter kaufen.

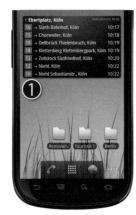

Unterwegs mit Auto, Bahn und anderen Verkehrsmitteln

Immer das richtige Verkehrsmittel nutzen, ohne eines besitzen zu müssen: Multimodal nennen Verkehrsentwickler diese Art der Fortbewegung. Und im Zentrum steht – Sie ahnen es – das Smartphone. Denn damit und einigen nützlichen Apps lässt sich dieses unbeschwerte Leben auf Pump hervorragend organisieren.

❶ **Bahn** und **Öffentliche**: Mit dem DB-Navigator (vorige Seite) und Öffi (kostenlos im Market) sind Sie rundum versorgt. Mein Tipp: Legen Sie sich ein Öffi-Widget mit den aktuellen Abfahrten Ihrer Lieblingshaltestelle auf den Startbildschirm.

❷ **Mietwagen** und **Carsharing**: Mit Flinkster von der Bahn und anderen Angeboten wie DriveNow buchen Sie kurzfristig ein Auto für eine halbe Stunde oder eine Woche. Sie müssen einen Führerschein besitzen und sich beim Anbieter registrieren. Bei mir ging das ganz schnell.

❸ **Fahrgemeinschaft**: Nehmen Sie Passagiere mit, und teilen Sie sich die Fahrtkosten – elektronisch unterstützt von Apps wie Fahrten der fahrgemeinschaft.de – oder fahren Sie selbst bei anderen mit.

❹ **Fahrrad**: Die Bahn stellt in vielen großen Städten Fahrräder bereit – und mit der Call a Bike-App leihen Sie sich schnell eines aus. (Einmal müssen Sie sich vorher registrieren.)

❺ **Taxi**: Kennen Sie die älteste Form des Carsharing? Genau, das Taxi. Das holt Sie überall ab und bringt Sie überall hin. Mit der App My Taxi rufen Sie ein Taxi per Knopfdruck und können sehen, wer Sie abholt und wo er sich gerade befindet. Wow.

Carsharing-Apps auch von anderen

Ach, die Amerikaner: Die App von Zipcar öffnet die Türen zu Ihrem Auto und – noch viel wichtiger – drückt auf die Hupe, damit Sie wissen, welches der vielen Autos auf dem Parkplatz eigentlich Ihres ist. Ich persönlich bin gespannt auf die App meines Lieblingsanbieters. Vielleicht ist sie schon fertig, wenn Sie dieses Buch lesen. Suchen Sie mal nach cambio carsharing.

KAPITEL 11 | Smart informiert

Ihr Smartphone ist überall dabei – und mit ihm der Internetanschluss und der ganze Wissens- und Neuigkeitenschatz der Internetdienste. Mit den richtigen Werkzeugen machen Sie Ihr Smartphone zur Informationszentrale, mit der Sie Informationen dann abrufen, wann immer Sie Zeit, Lust oder Bedarf haben.

- Mit dem Google Reader alle News an einem Ort
- Mit Instapaper interessanten Lesestoff sammeln
- Mit Podcasts Ihr persönliches Radioprogramm zu jeder Zeit
- Mit WeatherPro das Wetter ganz genau sehen

Google Reader – Ihre Nachrichtenzentrale auf dem Smartphone

Mit RSS-Feeds und einem passenden Reader können Sie viele Nachrichten aus dem Internet in kurzer Zeit überschauen. Sie sehen nur die Nachrichten ohne die ganze Webseite drumherum, also ohne Navigationsleisten, Links zu anderen Bereichen, Werbung. Klingt gut? Ist es auch. Und es ist viel schneller als das Laden kompletter Seiten. Mit Newsfeeds sparen Sie Zeit bei Ihrem täglichen Informationsupdate. Abonnieren Sie also die RSS-Feeds Ihrer Lieblingsquellen mit einem Feedreader. Schon können Sie alle Nachrichten, die Sie interessieren, bequem und schnell an einem Ort überblicken und lesen. Der beste Reader ist der Google Reader. Sie können ihn im Browser nutzen, auf dem Computer und auf dem Smartphone.

❶ Öffnen Sie den Browser, und gehen Sie zu google.de/reader. Melden Sie sich mit Ihrem Google-Konto an, wenn das noch nicht geschehen ist. (Den Google Reader gibt es auch als App. Die Webanwendung ist aber viel schöner, schneller und praktischer.)

❷ Tippen Sie auf der nächsten Seite auf Abonnements hinzufügen (keine Angst, die kosten nichts), um Ihren Reader mit Nachrichten zu bestücken.

❸ Google hat Feed-Sets für den Einstieg zusammengestellt, die aus Nachrichtenseiten und bekannten Blogs zu Themen von News bis Wissenschaft bestehen. Tippen Sie bei den Sets, die Sie interessieren, auf Abonnieren.

❹ Tippen Sie auf den kleinen Link mit der Anzahl der Feeds, um vorher zu sehen, welche Seiten zum Set gehören. Nehmen Sie doch zum Einstieg News, Sport und Medien. Später können Sie einzelne oder auch alle wieder löschen. Und suchen Sie vielleicht noch nach Android, falls Sie Nachrichten zu diesem Thema lesen möchten.

Auf der nächsten Seite sehen Sie, wie Sie Ihre Feeds anzeigen.

Google Reader – Nachrichten ganz effizient lesen und verwalten

Sobald Sie ein paar interessante Kanäle eingerichtet haben, können Sie den Reader schon praktisch nutzen:

❶ Öffnen Sie den Google Reader im Browser unter Feeds, um Ihre Nachrichtenauswahl anzuzeigen. Die Startseite zeigt alle Ihre Abos.

❷ Tippen Sie auf News, um die Nachrichten dieses Sets anzuzeigen.

❸ Tippen Sie auf den Ordner, um alle Nachrichten in einer Liste zu sehen, oder auf einen Eintrag (hier die FAZ), um nur die Einträge in dieser Quelle zu sehen.

❹ Die Artikelliste zeigt die Überschrift und die erste Zeile. Nicht gelesene Artikel sind fett dargestellt. Die Einträge klappen auf, wenn Sie darauf tippen. Nicht alle Sites liefern vollständige Artikel. Ein Tipp auf die Überschrift bringt Sie dann zur Originalseite. Collapse klappt den Eintrag zu, Next Item bringt Sie zum nächsten Eintrag.

❺ Besonders praktisch sind die Markierungsfunktionen, allen voran der Stern, den Sie von Google Mail und von Ihren Kontakten kennen. Damit markieren Sie interessante Artikel, um sie später wiederzufinden.

❻ Unter dem Artikel können Sie den Artikel als ungelesen markieren, empfehlen oder per E-Mail weiterleiten.

❼ Zu viele Nachrichten? Ab und zu läuft der Reader mal über. Spätestens wenn hinter einem Ordner die Zahl 1000+ steht, sollten Sie neu starten. Wählen Sie aus der Übersicht Alle Artikel und dann aus dem Menü oben rechts Alle als gelesen markieren. Das entspannt ungemein.

Google Reader auf den Startbildschirm

Damit Sie schnell zu Ihren Nachrichten kommen, legen Sie am besten eine Verknüpfung zur Webseite an. Wie das geht, lesen Sie in Kapitel 6.

Instapaper – Artikel im Browser merken und auf dem Smartphone lesen

Das Web ist voll von interessanten Artikeln. Aber wenn Sie gerade am Computer sitzen und auch noch arbeiten müssen, haben Sie nicht immer Zeit, diese zu lesen. Schicken Sie sich den Lesestoff aufs Smartphone. So können Sie abends in der Bahn Ihr Lesepensum aufholen oder auf dem Sofa ganz bequem die interessantesten Artikel des Tages durchlesen. Mit Instapaper und der passenden App klappt das nahtlos.

❶ Gehen Sie zu www.instapaper.com, und installieren Sie das Bookmarklet in der Lesezeichenleiste Ihres Browsers (hier ist es Chrome auf dem Mac). Die Anmeldung ist kostenlos und gut beschrieben.

❷ Surfen Sie im Web am Computer: Haben Sie einen Artikel gefunden, der Sie interessiert (wählen Sie bei mehrseitigen Artikeln die Druckansicht), klicken Sie auf das Bookmarklet im Browser. Eine kleine Einblendung bestätigt, dass der Artikel gespeichert wurde (Saved!).

❸ Öffnen Sie auf dem Smartphone die App AndReader. (Sie können die kostenlose Beta-Version verwenden oder den Entwickler mit 69 Cent unterstützen.) Geben Sie beim ersten Start Ihre Instapaper-Nutzerdaten ein (Menü → Settings), und wählen Sie dann Sync. Wählen Sie dann aus der Liste einen Artikel.

❹ AndReader zeigt die von Instapaper aufbereiteten Seiten ohne Werbung und Navigationselemente lesefreundlich an.

Mit Chrome to Phone eine Seite sofort aufs Smartphone schicken

Wollen Sie genau die Seite, die Sie gerade am Computer lesen, an Ihr Smartphone senden? Dann nehmen Sie Chrome to Phone. Wie das geht, lesen Sie in Kapitel 6.

Instapaper – eine Webseite auf dem Smartphone sichern

Mit dem AndReader können Sie nicht nur Seiten lesen, die Sie am Computer markiert haben, er stellt auch einen kleinen Dienst zur Verfügung, um Seiten auf dem Gerät zu speichern. Wo Sie diesen Dienst finden? Im Weitergeben-Menü natürlich (mehr dazu finden Sie in Kapitel 8). So speichern Sie eine Seite aus dem Browser, um sie später zu lesen.

❶ Öffnen Sie eine Seite im Browser (hier ist es schon wieder der Autoteil der Süddeutschen).

❷ Tippen Sie dann Menü → Mehr → Seitenlink weitergeben.

❸ Wählen Sie aus dem nächsten Menü AndReader.

❹ AndReader importiert jetzt die Seite. Tippen Sie auf Add to Instapaper, um den Link an Instapaper zu schicken. Die Taste Download Now startet sofort die Synchronisation des AndReader, wenn Sie den Artikel gleich lesen wollen.

❺ Alle importierten Artikel finden Sie wieder in der Inbox des AndReader. Viel Spaß beim Lesen.

Instapaper oder Readitlater?

AndReader unterstützt neben Instapaper auch einen ähnlichen Dienst namens Readitlater. Die Fähigkeiten sind ähnlich, wobei Instapaper ein paar Möglichkeiten mehr bietet als Readitlater und diese eleganter umsetzt. Probieren Sie einfach aus, welcher Dienst Ihnen besser gefällt.

Nachrichten hören statt lesen

Radio abseits vom Dudelfunk mit Themen, die Sie wirklich interessieren, und zwar dann, wenn Sie Zeit haben. Klingt das interessant? Dann habe ich etwas für Sie: Podcasts (Details unten) aus dem Internet auf Ihrem Android. Zur Unterhaltung, Zerstreuung oder Weiterbildung, wann immer Sie Lust darauf haben. Schön und einfach zu bedienen mit der kostenlosen App OneCast:

❶ Installieren und starten Sie die App OneCast. Ich habe schon ein paar Podcasts abonniert. Tippen Sie auf die große +-Taste, um nach einem Thema oder einer konkreten Sendung zu suchen.

❷ Ich suche das Thema Android, um mich unterwegs auf den neuesten Stand zu bringen. Die Ergebnisliste ist ziemlich lang. Tippen Sie auf eine Sendung in der Liste. Ich wähle The Android App Show (audio).

❸ Die Sendung wird jetzt auf der Home-Seite angezeigt. Tippen Sie auf den Titel, um die verfügbaren Folgen aufzurufen.

❹ Die aktuelle Sendung steht ganz oben in der Liste; ein Tipp darauf startet die Wiedergabe.

❺ OneCast lädt die Audiodateien, während Sie die Sendung abspielen. Der gelbe Balken zeigt an, wie viele Daten schon heruntergeladen wurden. Bewegen Sie den Schieber, um innerhalb des Podcasts vorzuspulen.

Woher kommen Podcasts?

Das Wort Podcast ist eine Zusammensetzung aus iPod (dem MP3-Spieler von Apple) und Broadcast (Rundfunk). Den Begriff erfand der Internetreporter Ben Hammersley. Bekannt gemacht hat ihn aber der ehemalige MTV-Moderator Adam Curry. Er hatte als einer der ersten erkannt, dass man über RSS-Feeds (siehe Google Reader) nicht nur Text übermitteln kann, sondern auch Medien. Podcasts erstellen kann jeder, das ist fast so einfach wie bloggen. Die Auswahl ist deshalb riesig, denn neben engagierten Kleinpublizisten nutzen auch immer mehr Radiosender diesen Kanal. Adam Curry ist übrigens immer noch aktiv. Zusammen mit dem Technikjournalisten John C. Dvorak veröffentlicht er den Podcast No Agenda, den ich Ihnen hiermit sehr ans Herz lege.

WeatherPro – Wettervorhersagen ganz genau

Da müssen Sie mir jetzt vertrauen: Auch, wenn Sie schon ein Wetter-Widget oder eine Wetter-App auf Ihrem Telefon haben – WeatherPro kann alles besser. Diese App bietet die genausten Wetterdaten von mehr als zwei Millionen Orten weltweit. Und allein das Regenradar ist schon 2,99 EURO wert.

❶ Öffnen Sie die App. WeatherPro zeigt automatisch das Wetter des Ortes, an dem Sie sich befinden. Sie sehen die Vorausschau der nächsten zehn Tage.

❷ Tippen Sie rechts auf einen Tag (oben ist der aktuelle), um die Wettervorhersage in 3-Stunden-Abschnitten zu sehen.

❸ Die Stundenanzeige ist für mich die wichtigste. Hier sehen Sie, wie das Wetter sich über den Tag verändert. Zu jedem Eintrag finden Sie die Details per Tipp.

❹ Tippen Sie auf die Taste Orte, um das Wetter an einem anderen Ort zu beobachten. Ihre Lieblingsorte können Sie hier als Favoriten speichern.

❺ Das Radar zeigt den Regenverlauf der letzten zwei Stunden. So können Sie genau sehen, wann Regen auf Sie zukommt beziehungsweise wann er wieder weg ist. Bleiben Sie dann einfach noch eine halbe Stunde im Büro, bis der Regen weg ist, oder fahren Sie eine halbe Stunde früher, um vor den Wolken zu Hause zu sein. Das klappt wirklich.

Wandern nach Stundenplan

Zu unserer letzten Wanderung in die Eifel wollten wir eigentlich um 10 Uhr starten. Weil WeatherPro für 14:00 Uhr heftigen Regen anzeigte, haben wir den Start einfach vorverlegt. Der Effekt: Wir hatten eine super Wanderung bei bestem Wetter und sind pünktlich um 14:00 Uhr im Ausflugslokal angekommen. Fünf Minuten später ging das Gewitter los – bei Kaffee und Kuchen durchaus angenehm.

Androidify.com

KAPITEL 12 | Volle Unterhaltung unterwegs und zu Hause

Ich habe mir erst sehr spät einen iPod angeschafft – und ihn dann doch nur sehr sporadisch genutzt. Mir war es immer zu umständlich, mehrere Geräte mit mir herumzutragen. Aber schon auf mein erstes Smartphone (Nokia 3650, googeln Sie mal danach) überspielte ich Musik und Podcasts zum Mitnehmen.

Sie können also ab jetzt Ihren MP3-Player zu Hause lassen. Ihr Android kann so gut wie alles besser:

- Musik abspielen und verwalten
- Musik mit DLNA auf anderen Geräten wiedergeben
- Videos vom Computer übertragen und abspielen
- YouTube-Videos unterwegs ansehen

Musik hören

Musikdateien erkennt Android automatisch und macht sie allen Apps zugänglich, zum Beispiel der Musik-App von Google. Die App ist kostenlos und bei den meisten Smartphones vorinstalliert. Mit der Musik-App behalten Sie auch bei großen Musiksammlungen den Überblick und schicken mühelos Ihren persönlichen Musikmix an die Kopfhörer.

❶ Öffnen Sie die App Musik (es ist die mit den Kopfhörern). Halten Sie Ihr Telefon dabei senkrecht.

❷ Die App startet mit der Liste der Interpreten. Streichen Sie nach unten, bis zum Künstler Ihrer Wahl. Tippen Sie dann auf den Namen, um alle Alben anzuzeigen.

❸ Wählen Sie ein Album aus, das Sie spielen möchten. (Die kleinen Balken zeigen an, dass ein Titel aus diesem Album läuft.)

❹ Die nächste Liste zeigt alle Stücke aus dem Album, die Sie auf dem Smartphone dabei haben. Tippen Sie auf den Titel, den Sie hören möchten. Hier ist es Heartbeats.

❺ In allen Listen gibt es Abkürzungen, mit denen Sie schneller ans Ziel kommen. Hier öffnet das Dreieck neben jedem Eintrag ein Menü mit den Optionen Wiedergeben, Zur Playlist ..., Shop for artist, Mehr vom Interpr..., und Suche.

❻ Aktuelle Wiedergabe: So sieht der Bildschirm aus, wenn Sie ein Stück abspielen. Der Kopfhörer links bringt Sie eine Ebene höher. Tippen Sie auf das Cover, um die Optionen einzublenden:

❼ Endloswiederholung: Tippen Sie einmal oder mehrfach, um alle Titel eines Albums oder nur den aktuellen Titel zu wiederholen.

❽ Zufällig: Tippen Sie auf die Weiche, um alle Titel des aktuellen Albums in zufälliger Reihenfolge abzuspielen.

❾ Position: Schieben Sie den Regler an die Stelle des Titels, den Sie hören wollen.

❿ Musikinfos mit Verknüpfungen: Titel (zur Playliste hinzufügen), Interpret (Albenliste) und Album (Titelliste).

⓫ Drei Tasten am unteren Bildschirmrand steuern die Musik: Zurück/Schneller Rücklauf, Start/Pause und Vor/Schneller Vorlauf. (Ich kenne die noch aus den frühen 1980ern von Sonys Walkman.)

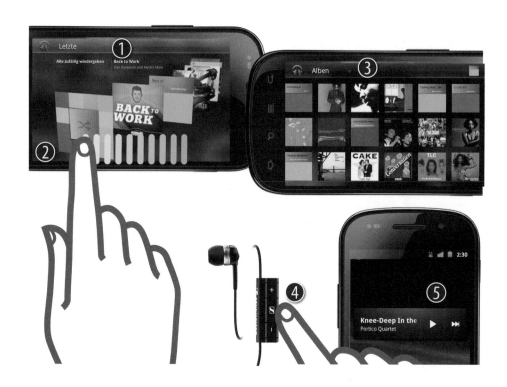

Mehr Möglichkeiten für Ihre Musik

Die Musik-App ist ziemlich flexibel. So machen das Hören und Entdecken von Musik noch mehr Spaß.

❶ Starten Sie die Musik-App, und drehen Sie Ihr Smartphone auf die Seite. Die Letzte-Liste zeigt die zuletzt gespielten Alben in einer dreidimensionalen Flussansicht.

❷ Streichen Sie über die Alben, um den Verlauf anzuzeigen.

❸ Tippen Sie auf das Menü in der Titelleiste, und wählen Sie eine andere Liste: Alben (mit schöner Coverübersicht), Interpreten, Titel, Playlists (oder Wiedergabelisten) und Genres (von Akustik bis Weltmusik).

❹ Steuern Sie die Musik mit der Mikrofontaste:

- Drücken Sie einmal kurz, um die Wiedergabe zu stoppen. Drücken Sie noch einmal, um sie fortzusetzen. Das funktioniert auch, wenn der Bildschirm aus ist.
- Drücken Sie lange, um den Player nach vorne zu holen.

❺ Steuern Sie die Musik über ein Widget. Mit der App Widgetlocker können Sie die sogar auf den Sperrbildschirm setzen

Musik und Telefon in einem Kopfhörer

Headphones mit Mikrofon sind mittlerweile Standard und von allen einschlägigen Herstellern zu haben. Klar, denn wer will schon den Kopfhörer abnehmen, wenn das Telefon klingelt. Selbstverständlich pausiert dann die Musik. Drücken Sie kurz, um den Anruf anzunehmen, und lange, um ihn abzulehnen.

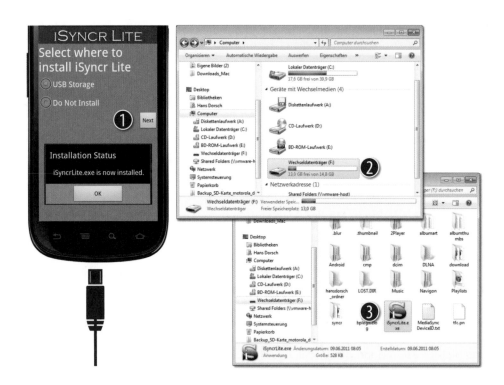

iSyncr: iTunes mit Android immer synchron

Wir haben es doch alle gerne bequem. Ich habe zum Beispiel gerne alles an einem Ort. Der Ort, an dem ich meine Musik sammle und verwalte, heißt seit vielen Jahren iTunes. Mit den Wiedergabelisten (vor allem den intelligenten Wiedergabelisten) habe ich es geschafft, meine 7000 Titel perfekt zu organisieren und vor allem immer eine passende Auswahl auf ein mobiles Gerät zu übertragen – denn für die gesammte Sammlung ist zurzeit noch kein Platz.

Mit dem Smartphone wird zwar der iPod überflüssig, aber nicht meine Musiksammlung und meine Listen. Zum Glück gibt es iSyncr, eine App, die iTunes am Mac oder Windows-Computer mit dem Android-Smartphone abgleicht.

iSyncr besteht aus zwei Teilen: einer App auf dem PC oder Mac und einer App auf dem Android-Gerät. Die App auf dem Smartphone macht nicht viel mehr, als die Anwendung auf der SD-Karte des Gerätes zu installieren. Es gibt eine Lite-Version zum Testen. Ich habe nach dem ersten Test sofort die Vollversion gekauft, weil sie einfach funktioniert.

iSyncr installieren und starten

❶ Starten Sie iSyncr auf Ihrem Smartphone (es darf dabei noch nicht mit dem Computer verbunden sein), und tippen Sie auf dem Startbildschirm auf Installation. iSyncr installiert jetzt die PC- oder Mac-App auf der SD-Karte (beziehungsweise dem USB-Speicher) Ihres Telefons.

❷ Schließen Sie jetzt Ihr Telefon als USB-Massenspeicher an den Computer an (wie Sie Ihr Smartphone mit dem Computer verbinden, sehen Sie auf Seite <Seite einfügen>). Wechseln Sie am PC in den Ordner SDCard auf Ihrem Gerät (hier wird der Speicher als Wechseldatenträger (F) angezeigt).

❸ Suchen Sie die Anwendung iSyncr, und starten Sie sie mit einem Doppelklick.

iSyncr: iTunes-Wiedergabelisten mit dem Smartphone abgleichen

❶ Wählen Sie im Anwendungsfenster die Wiedergabelisten aus, die Sie abgleichen möchten. Hier sind es die Listen und intelligenten Listen, die ich in iTunes angelegt habe: Die Liste musik 2GB überspielt 2 GB der Musik, die ich zuletzt gehört habe, dann sind noch Titel mit 5 Sternen dabei und Audio-Podcasts, die ich noch nicht gehört habe. Und dann habe ich noch eine Liste namens Zum Mitnehmen. Diese ist völlig unintelligent, denn dort hinein ziehe ich ausgesuchte Titel von Hand, zum Beispiel ein Video, das ich sehen möchte, oder ein Musikstück, das auf jeden Fall dabei sein muss.

❷ Der Balken am Fenster zeigt an, wie viel Speicherplatz Sie noch zur Verfügung haben, während Sie Ihre Listen auswählen. Listen können sich dabei natürlich überschneiden. So sind möglicherweise Titel aus der 2GB-Liste mit 5 Sternen markiert. Diese werden natürlich nicht doppelt übertragen und abgelegt.

❸ Klicken Sie auf Sync, um den Abgleich zu starten. Das dauert beim ersten Mal etwas länger (5 GB benötigen ca. 25 Minuten), später geht das dann aber richtig fix.

❹ Melden Sie nach dem Abgleich die SD-Karte vom Computer ab. Starten Sie dann den Musik-Player am Smartphone. Ihre Musik und alle Listen sind vorhanden. Wichtig: Die Listen werden nach dem Sync nicht sofort angezeigt. Die Datenbank braucht ein bis zwei Minuten, um alle Änderungen zu übernehmen.

Schneller verbinden

Legen Sie eine Verknüpfung (am PC) oder einen Alias (am Mac) für Ihre SD-Karte und die iSyncr-App gut zugänglich auf Ihrem Computer ab. So müssen Sie beim nächsten Sync weder Ordner noch App suchen.

iSyncr gibt es auch in einer kabellosen Version. Mit dem iSyncr WiFi Add-On und einem kleinen Serverprogramm auf dem Computer halten Sie Ihre Dateien drahtlos auf aktuellen Stand.

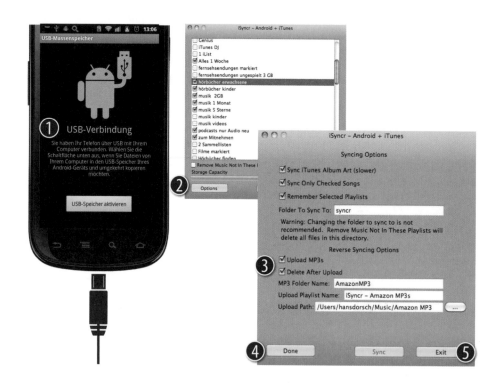

Amazon-Einkäufe mit iSyncr auf dem Computer speichern

Amazon ist für Android die beste Musikeinkaufsquelle. Sie können es im Browser am Computer nutzen oder auf dem Smartphone. Wie Sie mit der Amazon-App Musik kaufen, lesen Sie weiter hinten in diesem Kapitel.

Musik, die Sie bei Amazon auf dem Smartphone gekauft und geladen haben, können Sie mit iSyncr automatisch auf Ihren Computer übertragen.

1 Schließen Sie Ihr Telefon per USB an den Computer an, und starten Sie iSyncr auf dem Computer.

2 Klicken Sie im Fenster auf Options.

3 Wählen Sie dort unter Reverse Syncing Options folgende Einstellungen:

- Upload MP3: So werden gekaufte Dateien auf Ihren Computer geladen.
- Delete After Upload: Dieser Haken löscht die Musikdateien aus dem Amazon-Ordner auf Ihrer Speicherkarte. Im Anschluss gelangen sie wieder zurück aufs Smartphone (zum Beispiel über die Liste der zuletzt hinzugefügten Titel). Das vermeidet doppelte Titel und unnötigen Speicherverbrauch.
- Die Voreinstellungen der Pfade müssen Sie im Normalfall nicht ändern. Den Ordner legt die Amazon-App auf Ihrem Android an. Ist auf Ihrem Computer kein Ordner Amazon MP3 vorhanden, legt iSyncr ihn an.

4 Bestätigen Sie Ihre Änderungen mit Done.

5 Synchronisieren Sie jetzt Ihr Gerät (Sync). Klicken Sie danach auf Exit, und entfernen Sie Ihr Gerät vom Computer (SD-Karte vorher abmelden). Das war's.

Listen für das Smartphone in iTunes erstellen

Wenn Ihre Musiksammlung auf dem Computer 70 GB umfasst und die Speicherkarte Ihres Smartphones 16 GB groß ist, müssen Sie auswählen, welche Musik mit aufs Telefon kommt und welche zu Hause bleibt. Sie müssen filtern. Das können Sie zwar von Hand machen, aber einfacher, schneller und besser geht das mit Unterstützung von iTunes und intelligenten Listen. So kommen Ihre 5-Sterne-Top-Hits ganz schnell aufs Smartphone:

Erstellen Sie eine Liste Ihrer 5-Sterne-Top-Hits

Erstellen Sie eine intelligente Wiedergabeliste musik 5 Sterne (❶). Wählen Sie dazu Ablage/Datei → Neue intelligente Wiedergabeliste …

Im Einstellungsfenster legen Sie folgende Einstellungen fest:

- Medienart (❷) sucht nur nach Musik. Damit schließen Sie Hörbücher, Videos und alles andere aus.
- Art enthält nicht stream. Damit vermeiden Sie, dass URLs von Internetradios in die Liste wandern. Sie wollen ja Musikdateien auf Ihrem Telefon haben.
- Wählen Sie jetzt noch Wertung ist (5 Sterne).
- Schränken Sie anschließend die Liste auf – sagen wir mal – 100 Titel ein, und sortieren Sie sie nach zuletzt gespielt – aktuell.

Klicken Sie auf OK, um die Liste zu speichern (❸).

Schauen Sie sich Ihre Liste in iTunes an. Am unteren iTunes-Fenster sehen Sie, wie groß die Liste ist (❹).

Audio-CDs in MP3-Dateien umwandeln

Neue Musik kaufen Sie online und digital, aber auch die Schätze, die Sie schon auf CD besitzen, können Sie auf Ihrem Smartphone hören – nachdem Sie diese einmal in das universelle MP3-Format umgewandelt haben. Das erledigen Sie mit einem Musikspieler am Computer. Ich verwende iTunes von Apple:

❶ Starten Sie iTunes am Computer. Achten Sie darauf, dass Ihr Mac oder Ihr PC mit dem Internet verbunden ist. Nur dann kann iTunes die Titel- und Albuminformationen aus dem Internet laden.

❷ Überprüfen Sie die Import-Einstellungen. Wählen Sie in Einstellungen → Allgemein die Importeinstellungen zu MP3 (hohe oder höhere Qualität). Dieses Format verstehen alle digitalen Abspieler. Liegt schon eine CD im Laufwerk, können Sie die Importeinstellungen über die Taste am unteren Fensterrand öffnen.

❸ Legen Sie eine Audio-CD in das CD-Laufwerk am Computer ein. iTunes erkennt die CD und zeigt sie in der Seitenleiste unter Geräte an.

❹ Bestätigen Sie die Nachfrage, ob Sie die CD importieren möchten, mit Ja. iTunes kopiert jetzt die Daten von der CD auf den Computer und wandelt sie in das MP3-Format um.

❺ iTunes kann auch Albumcover aus dem Netz laden und zusammen mit Ihren Musikdateien speichern. Darauf sollten Sie nicht verzichten. Wählen Sie dazu aus dem Menü Erweitert → CD-Cover laden.

MP3 können alle

Sie müssen nicht iTunes verwenden, aber ich halte das Programm für die komfortabelste Musikverwaltung. Aber auch der Windows Media Player oder Programme wie WinAmp können Ihre CDs rippen und so für Ihr Smartphone vorbereiten.

Auf dem Telefon Musik bei Amazon kaufen

Amazon verkauft wirklich alles. Vom Buch bis zum Wischmopp. Und natürlich Musik. Aber ich spreche hier nicht von diesen komischen runden Dingern, die mit der Post verschickt werden (wie hießen die noch mal? Ach ja, CDs.), nein, ich meine MP3s. Und für die hat Amazon sogar eine eigene App im Market.

❶ Laden Sie die App Amazon MP3 aus dem Market, und starten Sie sie. Suchen Sie eine Band, die Sie interessiert. Ich suche ein Album von Portico Quartet.

❷ Sie können auch Musik entdecken, indem Sie den Links Bestseller, Neuerscheinungen oder Genre folgen. Ganz unten finden Sie günstige oder kostenlose Angebote.

❸ Wählen Sie das Album, das Sie interessiert, aus der Ergebnisliste.

❹ Tippen Sie auf einen Titel, um reinzuhören.

❺ Tippen Sie auf den Preis, um nur einen Titel zu kaufen. Tippen Sie auf die Taste neben dem Album, um das ganze Album zu kaufen.

❻ Melden Sie sich mit Ihren Amazon-Zugangsdaten an, und klicken Sie auf Anmelden. Ihr Download startet jetzt. (Die Dateien werden auf Ihrer SD-Karte im Ordner amazonmp3 gespeichert.)

❼ Amazon bestätigt den Kauf. Tippen Sie auf Downloads ansehen.

❽ Amazon MP3 hat einen eigenen Musikplayer. Ihre Musik taucht aber nach dem Download auch in der Musik-App auf.

Achten Sie auf Ihr Datenvolumen

Ein Albumdownload im MP3-Format ist ungefähr 70 MB groß. Bei einer 300-MB-Datenflatrate ist das gut ein Viertel des monatlichen Volumens. Warten Sie vielleicht mit dem Download, bis Sie Anschluss an ein WLAN-Netz haben.

Medienfreigabe

Mit Wi-Fi Netzwerk verbunden:

airlan

Legen Sie die Medientypen fest, die in diesem Netzwerk freigeben werden sollen

Musik ✓ **①**

Fotos ✓

Videos ✓

Dieses Netzwerk speichern ✓

Fertig

Sie müssen zunächst eine Medienbibliothek in Ihrem Wi-Fi-Netzwerk finden oder Ihr Telefon als Bibliothek einrichten.

4 Bibliotheken gefunden! Wählen Sie eine aus und tippen Sie dann auf "Weiter".

deviceX_NAS: LinkStation ◉

macmobile ◉

TwonkyServer Mobile ● **②**

Weiter

Jetzt muss ein Player ausgewählt werden.

2 Player gefunden! Wählen Sie den Player, auf dem Ihre Medien wiedergegeben werden sollen.

Mein Telefon ◉

NOXON **③** ●

Fertig

Musik und Videos mit DLNA und Twonky vom Smartphone streamen

In den Verkaufshallen der Elektronikmärkte stehen Audio-Geräte mit iPod- und iPhone-Dock in langen Reihen. In so ein Dock stecken Sie ein Gerät von Apple hinein und hören die Musik über große Lautsprecher. Die Sache hat allerdings zwei Haken:

- Ihr Android-Smartphone passt nicht in den Dock-Anschluss.
- Steckt das Smartphone doch in diesem Anschluss, lässt sich keine der anderen Funktionen nutzen.

Zum Glück müssen Sie sich darüber überhaupt keine weiteren Gedanken machen. Denn es gibt bereits eine Lösung. Achten Sie nur darauf, ob auf elektronischen Geräten, die Sie kaufen, das Zeichen DLNA zu finden ist. Dann können Sie Musik, Videos und Fotos von Ihrem Android-Gerät über das WLAN-Netz an Lautsprecher und Bildschirme schicken. Viele Smartphones haben eigene DLNA-Software vorinstalliert. Ich zeige Ihnen eine aus dem Market, die mit allen funktioniert. Sie heißt Twonky. Und so verbinden Sie mithilfe dieser App Ihr Smartphone mit einem WLAN-Radiogerät.

❶ Starten Sie Twonky Mobile auf Ihrem Smartphone. (Die App kostet knapp 2 EUR, ist aber die ersten 14 Tage kostenlos.) Wählen Sie aus der Medienfreigabe Musik und dann Fertig.

❷ Wählen Sie als Medienbibliothek Ihr Telefon aus, also TwonkyServer Mobile. (Die anderen Geräte in dieser Liste sind eine kleine Netzwerkfestplatte und ein Apple Mac mit DLNA-Server.)

❸ Im nächsten Schritt sehen Sie alle im Netzwerk vorhandenen DLNA-Geräte, die Musik abspielen können. Hier ist es ein Noxon-Internet-Radio. Tippen Sie dann auf Fertig. Twonky speichert diese Verbindung. Beim nächsten Start müssen Sie diese nicht mehr angeben.

Auf der nächsten Seite sehen Sie, wie Sie Ihre Musik vom Smartphone zum Küchenradio bringen.

Musik mit DLNA vom Smartphone streamen

1 Starten Sie Twonky Mobile auf Ihrem Smartphone, und wählen Sie, welche Medien Sie streamen wollen – für das Radio natürlich Musik. Bestätigen Sie mit der Taste Fertig.

2 Twonky greift auf Ihre vollständige Musiksammlung zu. Deshalb können Sie auch Wiedergabelisten zum Abspielen auswählen, zum Beispiel Häufig gespielt.

3 Tippen Sie in der Liste auf einen Titel, um ihn abzuspielen, oder auf ⊕, um ihn in die Warteschlange zu stellen. Die Taste ganz oben stellt Alle Songs in die Warteschlange. Das geht am schnellsten.

4 In der Titelzeile sehen Sie das aktuelle Ausgabegerät (Player, tippen Sie darauf, um ein anderes auszuwählen) und daneben den aktuell gespielten Titel. Tippen Sie darauf, um die Steuerung anzuzeigen.

5 Die Steuerung bietet alle Hauptfunktionen, die Sie von Musikspielern kennen: Start, Stopp, Pause, Lautstärke. Damit haben Sie die Wiedergabe im Griff.

6 Oben links geht es zurück zur Bibliothek, oben rechts zur Warteschlange mit den Titeln, die demnächst gespielt werden.

Twonky streamt nicht alles. Die App hat Schwierigkeiten mit AAC-Dateien. Das ist das Format, das Apple für die Musikdateien in iTunes verwendet. MP3 funktioniert aber problemlos.

Alternative Musik-Player

Musik, die App mit dem sprechenden Namen, ist nicht die einzige Möglichkeit, um Audio auf dem Smartphone abzuspielen. Und selbst, wenn der Player auf dem Smartphone Musik heißt, muss es nicht unbedingt der gleiche sein. Ich zeige Ihnen hier drei Alternativen:

❶ Verbundener Musikplayer: Den Motorola-Player (der z.B. auf dem Defy installiert ist) zeichnen vor allem seine Internetfähigkeiten aus. Er holt sich fehlende Plattencover aus dem Netz und Songtexte gleich dazu.

❷ Winamp: Nutzen Sie Winamp am PC? Dann sollten Sie sich diese App ansehen. Sie gleicht Musik und Wiedergabelisten ab (sogar drahtlos) und bietet zusätzlich noch viele interessante Zusatzoptionen, zum Beispiel Informationen aus dem Netz zum Künstler oder Links zum Einkauf bei amazon.de.

❸ PowerAmp: Das ist ein Player für Fortgeschrittene. Mit ihm spielen Sie auch exotischste Formate ab (z.B. flac lossless), steuern diese mit dem Equalizer perfekt aus und bearbeiten die ID3-Tags auf dem Gerät.

Ist Ihrer nicht dabei?

Egal, wie Ihr Player heißt oder aussieht: Die Grundfunktionionen sind immer gleich. Spielen Sie ein wenig mit der App, und finden Sie heraus, ob sie zu Ihnen passt. Wenn nicht, gehen Sie in den Market, und laden Sie sich eine Alternative. Auch den offiziellen Android-Player finden Sie dort. Suchen Sie nach Music.

Videos bei YouTube finden und ansehen

YouTube kennen Sie, oder? Das Videoportal, auf dem es alles zu sehen gibt, von schielenden Opossums bis zu wissenschaftlichen Vorträgen. Ich sehe mir natürlich nur Letztere an – mit dem YouTube-Player für Android.

❶ Starten Sie die App YouTube auf Ihrem Android. Der Startbildschirm zeigt aktuelle Videoempfehlungen. Tippen Sie auf die Lupe, um die Suche zu öffnen.

❷ Tippen Sie den Namen eines Künstlers in das Suchfeld. Bobby McFerrin taucht schon nach wenigen Zeichen in der Ergebnisliste auf. Tippen Sie auf den Eintrag oder die Lupe, um die Suche zu starten.

❸ Tippen Sie in der Ergebnisliste auf den Film, den Sie sehen möchten. Die Info-Seite zum Film öffnet sich, und der Film startet. Hier gibt es eine Menge zu tun: Infos lesen, ähnliche Videos sehen, kommentieren oder den »Daumen nach oben« klicken für Mag ich. Aber schauen Sie sich den Film doch erst mal an. Drehen Sie dazu das Telefon quer.

❹ Der horizontale Bildschirm gehört ganz dem Video. Die Steuerelemente blenden sich nach kurzer Zeit aus.

- Tippen Sie auf das Display, um den Schieber für die Position einzublenden. Mit ihm kommen Sie schnell an die gewünschte Stelle im Video.

- Tippen Sie noch einmal, um den Film pausieren zu lassen.

- Steht die HQ-Anzeige auf grün, sehen Sie den Film in hoher Qualität. Sollte er ruckeln, tippen Sie darauf, um auf eine niedrigere Qualität umzuschalten.

Videos bei YouTube merken und ansehen

Videos lenken von der Arbeit ab – gerade, wenn sie interessant sind. Wenn Sie also demnächst einen Link zu einem lehrreichen Video in Ihrer Mail oder bei Twitter finden, speichern Sie ihn für später, und sehen Sie sich den Film in Ruhe auf Ihrem Smartphone an.

❶ Rufen Sie www.youtube.com im Browser am Computer auf, und melden Sie sich mit Ihrem Google-Konto an. (Falls Sie noch nicht bei YouTube angemeldet sind, legen Sie ein neues YouTube-Konto mit der E-Mail-Adresse des Google-Kontos an, das Sie auf Ihrem Smartphone verwenden.)

❷ Rufen Sie jetzt ein Video auf, das Sie interessiert. Klicken Sie auf das Menü Hinzufügen zu unter dem Film. Wählen Sie dort den Eintrag Favoriten. (Schließen Sie dann den Browser, und fahren Sie mit der Arbeit fort.)

❸ Öffnen Sie (später) das Programm YouTube auf dem Smartphone. Tippen Sie auf Menü → Mein Kanal.

❹ Beim ersten Aufruf müssen Sie sich anmelden. Wählen Sie Ihr Google-Konto, und melden Sie sich an. Tippen Sie dann auf Favoriten.

❺ Ihre gespeicherten Favoriten aus dem Web werden als Liste angezeigt. Tippen Sie auf den Film, den Sie sehen wollen.

❻ Genießen Sie den Film.

❼ Favoriten auch auf dem Smartphone: Drehen Sie das Telefon hochkant, und tippen Sie über dem Video rechts oben auf Mehr. Jetzt können Sie das Video in eigenen Listen oder als Favorit speichern, Weitergeben oder die URL (die Webadresse) des Videos in die Zwischenablage kopieren.

Mit dem Mobo Player Videos von der SD-Karte spielen

Ich bezahle meine Rundfunkgebühren. Aber schauen möchte ich dann, wenn ich Lust dazu habe. Vor allem, wenn die Perlen der Sender zu unmöglichen Zeiten laufen.

Deshalb lade ich mir Filme auf den Computer und schaue sie mir auf dem Smartphone an. Viele der Filme sind schon im mobilfreundlichen mp4-Format gespeichert, viele aber auch als Flash-Videos mit der Endung .flv. Und dieses Format kann der mitgelieferte Player (meist Galerie) nicht abspielen. Deshalb empfehle ich den MoboPlayer aus dem Market.

❶ Beim ersten Start zeigt der MoboPlayer eine Seite mit japanischen Schriftzeichen, die die Gesten zum Steuern erklärt. Ich erkläre sie später noch einmal. Tippen Sie erst einmal auf die Taste unten rechts.

❷ Wählen Sie im nächsten Schritt die Verzeichnisse aus, in denen nach Videos gesucht werden soll. Tippen Sie dazu auf das Ordnersymbol unten links.

❸ Ich wähle das Verzeichnis Videos (das legt Android selbst an) und eines mit dem Namen hansdorsch, das ich als Austauschordner für eigene Dateien angelegt habe. Drücken Sie Confirm.

❹ Das Ergebnis Ihrer Auswahl sehen Sie ab jetzt in der Übersicht. Tippen Sie jetzt auf einen Eintrag. Ich wähle Videos.

❺ Tippen Sie auf ein Video, um es abzuspielen. Der Abspielpfeil zeigt durch seine Füllung an, ob und wie weit Sie einen Film schon gesehen haben. Tippen Sie lange, um den Film zu löschen oder die Dekodierung umzustellen. (Falls der Film nicht abgespielt wird, stellen Sie auf Soft Decoding um.)

❻ Tippen Sie auf das Display, um die Steuerelemente einzublenden. Einfache Gesten vereinfachen den Filmgenuss: Wischen Sie am linken Rand nach oben oder unten, um die Helligkeit einzustellen, und nach links oder rechts, um die Lautstärke zu regeln.

❼ Zurück geht's mit der Zurück-Taste. Sehr praktisch ist auch: Ein Tipp auf die Menü-Taste blockiert das Display, damit Sie nicht aus Versehen den Film stoppen.

Spielfilme auf DVD mit Handbrake fürs Smartphone umwandeln

Wahrscheinlich haben Sie schon einige Spielfilme oder Fernsehsendungen auf DVD, die Sie gerne am Telefon ansehen möchten. Die kostenlose Software Handbrake für Mac und Windows wandelt sie schnell ins Android-kompatible Format.

Laden und installieren Sie zuerst das Programm Handbrake (www.handbrake.fr). Am Mac benötigen Sie zusätzlich den VLC media player, den Sie ebenfalls kostenlos laden können.

❶ Legen Sie eine DVD ein, und starten Sie Handbrake. Klicken Sie auf die Taste Source oben im Fenster, und wählen Sie im Dialog die DVD aus. Handbrake scannt die DVD und erkennt alle darauf gespeicherten Filme.

❷ Wählen Sie unter Title den längsten Film aus (hier Nr. 2 – 1 Std., 11 min., 46 Sek.). Die kürzeren Filme sind Trailer, Menüs und andere Nebensächlichkeiten.

❸ Wählen Sie aus der Seitenleiste das Format iPhone & iPod Touch. Diese Voreinstellung passt für die meisten Smartphones.

❹ Mit den Auswahltasten wählen Sie Sprachversionen (Audio) oder Untertitel (Subtitles) aus.

❺ Klicken Sie oben auf Add to Queue, dann auf Start. Ihr Film wird jetzt umgewandelt. Die Geschwindigkeit richtet sich nach dem Computer. Es kann aber gut über eine Stunde dauern.

❻ Handbrake speichert den umgewandelten Film auf Ihrer Festplatte, zum Beispiel auf dem Schreibtisch (hier Desktop).

❼ Schließen Sie jetzt Ihr Telefon über USB an, und kopieren Sie den Film auf die Speicherkarte.

Das sollten Sie wissen

DVDs mit Kopierschutz dürfen nicht kopiert werden. Weitere Hinweise finden Sie in der Wikipedia unter den Stichworten Kopierschutz und Privatkopie.

KAPITEL 13 | Bücher lesen und hören

Als Amazon 2008 den ersten Kindle einführte, sagte der Apple-Chef Steve Jobs: »Egal, wie gut oder schlecht das Produkt ist, Tatsache ist, dass die Leute nicht mehr lesen«. Da hatte er sich gründlich getäuscht: Denn gerade E-Books bringen die Menschen wieder zum Lesen. Amazon macht mittlerweile mehr Umsatz mit E-Books als mit gedruckten Büchern, und auch Apple verkauft mittlerweile E-Books im eigenen Store. Mit E-Book-Readern und Audio-Apps verwandeln Sie Ihr Android-Smartphone in Ihre mobile Bibliothek. Und der Lesestoff kommt über das Internet.

- Bücher kaufen mit Kindle
- Aldiko Reader für alle Formate
- Hörbücher bei Audible kaufen und hören

Ein Kindle-E-Book bei Amazon laden

Der unkomplizierteste Weg, E-Books auf dem Smartphone zu lesen, führt über Kindle, den E-Book-Reader des Internet-Riesen amazon.de.

Kindle-Bücher können Sie mit dem Kindle Wireless Reader, dem eigenen Lesegerät von Amazon, lesen oder mit den Apps für Windows, Mac, iPhone, iPad und natürlich Android. Alle Bücher, die Sie geladen haben, sind auf allen Geräten verfügbar. Sie werden über das Internet abgeglichen. Amazon nennt das Whispersync. So kommen Sie an Lesestoff:

❶ Installieren Sie die Kindle-App aus dem Market. Melden Sie sich beim ersten Start mit Ihrem Amazon-Konto an. Sollten Sie noch keines besitzen, können Sie über den Link ganz unten ein neues erstellen.

❷ Der Inhaltsbereich öffnet sich. Alle Bücher, die Sie besitzen, werden hier angezeigt. Drücken Sie die Menütaste und dann den Kindle-Shop, um neuen Lesestoff hinzuzufügen.

❸ Stöbern Sie im Shop. Tippen Sie auf Bücher, und wählen Sie dann eine Kategorie von Belletristik bis Sport & Fitness.

❹ In den Kategorien können Sie clever sortieren und filtern und so interessante Bücher finden, zum Beispiel die aktuellen Topseller der Belletristik.

❺ Wenn Sie wissen, was Sie suchen, geben Sie den Namen des Autors oder des Buchs in das Suchfeld ein und tippen auf Los.

❻ Die Suche nach Philip K. Dick zeigt deutsche und englische Titel an. Ich wähle den ersten Titel, Blade Runner.

❼ Tippen Sie auf die rote Taste Jetzt mit 1-Click® kaufen, um das Buch sofort zu kaufen. Vorsicht, es wird nicht nachgefragt.

❽ Noch nicht ganz sicher? Lesen Sie die Rezensionen, und schnuppern Sie in das Buch rein. Tippen Sie dazu auf Eine Leseprobe bestellen. Diese ist kostenlos und enthält einen Bestell-Link zum vollständigen Buch. Sehr praktisch.

❾ Ihr neues Buch steht jetzt ganz oben im Inhaltsbereich; Leseproben sind mit einem kleinen Balken markiert. Tippen Sie auf das Buch, um es zu lesen.

Ein Kindle-E-Book auf dem Smartphone lesen

Das Display Ihres Smartphones ist zum Lesen sehr gut geeignet. Es flimmert nicht und hat eine besssere Darstellungsqualität als viele Taschenbücher. Und was Sie alles mit dem Text machen können:

❶ Tippen Sie im Inhaltsbereich auf das Buch, das Sie lesen möchten. Ich lese Bladerunner. (Der Originaltitel lautet übrigens »Do Androids dream of electric sheep«.)

❷ Das Buch öffnet sich auf der zuletzt gelesenen Seite. Tippen Sie an den rechten und linken Rand, um vor- oder zurückzublättern.

❸ Die Kapitelinformationen und den Fortschrittsbalken am unteren Rand sehen Sie, wenn Sie in die Seite tippen. Mit dem Schieber bewegen Sie sich schnell im Buch vor- und zurück.

❹ Wählen Sie Menü → Anzeigeoptionen, um Ihr Buch anzupassen. Verändern Sie die Schriftgröße, und stellen Sie die Hintergrundfarbe um. Ich mag den Sepia-Effekt: Er gibt dem Buch einen echten Vintage-Look und ist auch noch angenehm für die Augen.

❺ Tippen Sie auf Menü → Lesezeichen, um sich eine besonders interessante Seite zu merken. Fügen Sie so viele ein, wie Sie mögen. Ein kleines Eselsohr oben rechts zeigt die gemerkte Seite an.

❻ Sie können das gesamte Buch durchsuchen. Tippen Sie auf die Suchtaste, und geben Sie einen Begriff ein. Tippen Sie auf ein Suchergebnis, um die Seite zu öffnen.

❼ Drücken Sie lange auf ein Wort, blendet Kindle die Definition aus dem Lexikon ein (jetzt wissen wir auch alle, was ein Androide ist). Gefällt Ihnen eine Textstelle, markieren Sie sie oder schreiben Sie eine Notiz dazu. Mehr… ruft die Suche nach dem Begriff im Buch, bei Google und in der Wikipedia auf.

❽ Alle Lesezeichen, Markierungen und Notizen finden Sie gesammelt auf einer Seite, die mit allen Kindle-Readern abgeglichen wird. Tippen Sie dazu auf Menü → Gehe zu.

EPUB- und PDF-Bücher mit Aldiko importieren und öffnen

Die populärsten Formate für E-Books sind EPUB und PDF. Das erste ist speziell für elektronische Bücher gemacht, das zweite für die layoutgetreue Speicherung digitaler Dokumente im Allgemeinen. Zum Glück können Sie beide mit dem Aldiko-Reader öffnen. Über die SD-Karte kommen sie von Ihrem Computer auf das Smartphone.

❶ Speichern Sie E-Books im Format .epub oder .pdf in einem Ordner auf der SD-Karte. Trennen Sie anschließend die USB-Verbindung.

❷ Starten Sie Aldiko, und wählen Sie auf der Startseite das Symbol Speicherkarte.

❸ Navigieren Sie auf der Speicherkarte zu dem Ordner, in dem Sie Ihre E-Books gespeichert haben (meine liegen im Ordner ebooks_import). Wählen Sie die Bücher aus, und tippen Sie auf Nach Aldiko importieren (das kann ein wenig dauern).

❹ Ihre neuen Bücher werden jetzt in der Aldiko-Bibliothek angezeigt. Das Buch »Bartleby, the Scrivener« von Herman Melville möchte ich Ihnen bei dieser Gelegenheit sehr ans Herz legen.

E-Books mit Aldiko öffnen, verwalten und lesen

Mit dem Aldiko-Reader können Sie E-Books in den verbreiteten Formaten EPUB und PDF elegant verwalten und lesen.

❶ Öffnen Sie Aldiko. Die Startseite bringt Sie zu Ihrem Bücherregal mit Ihren Büchern. Neue Bücher bekommen Sie über den Store oder über die Speicherkarte (siehe nächste Seite).

❷ Im Store finden Sie die Angebote mehrerer Anbieter. Die meisten sind englischsprachig, und zum Einkauf müssen Sie sich bei jedem Shop separat registrieren. Zum Glück gibt es aber auch eine Menge kostenloser Bücher, zum Beispiel bei Feedbooks. Schauen Sie mal in die Public Domain Books. Hier finden Sie unter anderem Klassiker von Thomas Mann. Tippen Sie auf einen Titel, um Details anzuzeigen und ihn zu laden.

❸ Alle Bücher erscheinen im Bücherregal. Tippen Sie auf ein Buch – hier Der neue Mann – um es zu öffnen. Drücken Sie lange darauf, um Details zum Buch anzuzeigen oder es zu löschen.

❹ Während Sie lesen, wird nur der Text angezeigt. Tippen Sie an den rechten und linken Rand, um vor- oder zurückzublättern.

❺ Tippen Sie in die Mitte der Seite, um sämtliche Steuerelemente anzuzeigen.

❻ Tippen Sie unten auf Gehe zu…, um Lesezeichen hinzuzufügen und aufzurufen oder das Inhaltsverzeichnis anzuzeigen.

❼ Die Tag/Nacht-Taste invertiert die Anzeige zu Weiß auf Schwarz.

❽ Textgröße, Seitenränder und noch viele Details mehr ändern Sie in den Einstellungen.

❾ Das Haus oben links führt zur Startseite, und mit der Lupe rechts oben durchsuchen Sie das Buch. Das geht erstaunlich fix.

❿ Natürlich können Sie Texte auch im Querformat lesen. Vor allem gestaltete PDFs passen auf diese Weise häufig besser ins Display. Und – das hätte ich beinahe vergessen – mit den Laut/Leise-Tasten können Sie vor- und zurückblättern.

Bücher ausleihen und lesen

Haben Sie einen Mitgliedsausweis Ihrer Stadtbibliothek? Wenn nicht, sollten Sie sich vielleicht überlegen, wieder einen zu besorgen. Immer mehr Städte bieten neben den gedruckten Büchern nämlich auch E-Books an. Und die können Sie, genau wie die Papierversionen, kostenlos ausleihen – mit der App Onleihe. Lesen können Sie die Bücher mit dem Aldiko-E-Book-Reader (und nur mit dem).

❶ Vom Startbildschirm der Onleihe-App aus erschließt sich das Angebot Ihrer Bibliothek ähnlich wie das Angebot in echten Buchhandlungen. (Beim ersten Start müssen Sie Ihre Bibliothek aus der Liste wählen.) Die beliebtesten Bücher finden Sie unter Bestleiher und die neuesten bei den Neuzugängen. Nur in der Leihbibliothek gibt es die Letzten Rückgaben. Ich wähle die Neuzugänge.

❷ Blättern Sie in der Liste der Bücher. Gelb markierte Bücher sind verliehen, können aber vorgemerkt werden. Titel mit einem grünen Punkt können ausgeliehen werden. Tippen Sie auf Ihr Wunschbuch.

❸ Die Detailseite zeigt alle wichtigen Informationen zum Buch und auch die Leihdauer (7 Tage, da muss man schnell lesen). Tippen Sie auf Jetzt ausleihen, um das Buch sofort zu laden. (Wollen Sie nur kurz reinlesen oder ist der Titel gerade vergriffen, laden Sie einfach die Leseprobe (PDF). Öffnen Sie diese mit Aldiko, wenn Sie gefragt werden.)

❹ Onleihe startet jetzt die Ausleihe. Tippen Sie im nächsten Schritt auf Jetzt lesen. Onleihe schickt die Datei jetzt zum E-Book-Reader Aldiko.

❺ Geben Sie im nächsten Schritt Ihre Adobe ID ein oder legen Sie eine neue ein, und tippen Sie dann auf Anmelden.

❻ Sie finden das Buch jetzt in der Aldiko-Bibliothek.

Adobe ID, was ist das?

Die E-Books sind durch ein sogenanntes DRM (Digitales Rechtemanagement) der Firma Adobe kopiergeschützt. Ihr Schlüssel dazu ist die Adobe ID. Diese Adobe ID können Sie online bearbeiten. Gehen Sie zu www.adobe.de, und suchen Sie nach Anmelden.

Hörbücher von Audible kaufen und abspielen

Wer pendelt, hat mehr Zeit zum Lesen. Beim Autofahren geht das aber leider nicht. Nehmen Sie doch ein Hörbuch und lassen Sie es sich vorlesen. Mit Audible geht das am einfachsten.

❶ Audible hat keinen mobilen Shop. Sie können die allgemeine Website aber auch auf dem Smartphone nutzen (bequemer geht's am Computer). Gehen Sie zu www.audible.de, melden Sie sich an, und suchen Sie ein Hörbuch aus. Ich habe das neue Buch von Martin Suter entdeckt. Mit dem Probeabo ist das richtig günstig.

❷ Öffnen Sie jetzt die Audible-App, und melden Sie sich mit Ihren Zugangsdaten an. Die Bücher in Ihrer Bibliothek werden angezeigt. Tippen Sie auf die Download-Taste, um das Hörbuch auf Ihr Smartphone zu laden. Je nach Verbindungsgeschwindigkeit kann das ein wenig dauern.

❸ Tippen Sie auf die Pfeiltaste, um den Player zu starten. Sie müssen nicht warten, bis das Hörbuch vollständig geladen ist.

❹ Gerade läuft heißt der Bildschirm, den Sie sehen, während Ihr Buch abgespielt wird. Tippen Sie auf die Reiter, um Details zum Buch, die Kapitel oder Lesezeichen anzuzeigen.

❺ Die Steuerelemente kennen Sie vom Musik-Player, sie sind aber an Hörbücher angepasst. Links neben der Start/Stopp-Taste spulen Sie mit einem Tipp 30 Sekunden zurück, wenn Sie gerade den letzten Satz noch einmal hören möchten. Rechts davon ist die Lesezeichentaste, wenn Sie sich eine Stelle merken möchten.

❻ Mit den Pfeiltasten spulen Sie den Text schnell zurück oder vor (Profis hören mit doppelter Geschwindigkeit) oder springen von Kapitel zu Kapitel.

❼ Tippen Sie auf Menü für die weiteren Optionen. Besonders wichtig dabei ist der Schlafmodus. Audible schaltet sich automatisch nach dem Ablauf einer bestimmten Zeit oder, wie hier, am Ende des Kapitels aus.

❽ Wie alle Audio-Player finden Sie auch Audible im Benachrichtigungsfeld und können den Player von hier starten.

Foto @ StefanieGordon bei flickr.com

KAPITEL 14 | Fotos und Videos mit und ohne Internetanschluss

»Die beste Kamera ist die, die man dabei hat«, sagt der Fotograf Chase Jarvis, und ich sage: »Stimmt«. Und da jedes Smartphone mindestens eine Kamera eingebaut hat, sind Sie jederzeit in der Lage, unwiederbringliche Augenblicke festzuhalten. Auf Platz eins der am häufigsten verwendeten Kameras beim Fotodienst flickr steht übrigens ein Smartphone (das iPhone, um genau zu sein, aber die Android-Geräte holen auf). Mit der Smartphone-Kamera können Sie aber nicht nur scharfe Fotos erstellen, sondern auch Videos in hoher Auflösung (HD mit 720 oder 1080p), bis Ihr Speicher voll ist. Und jetzt raten Sie mal, mit welchen Geräten die meisten Videos bei YouTube erstellt werden.

- Schießen Sie Fotos und Videos ganz einfach mit Ihrem Smartphone.
- Nutzen Sie kreativ die Möglichkeiten, und erweitern Sie die Fähigkeiten mit Apps aus dem Market.
- Verwalten Sie Fotos und Videos auf Ihrem Computer.
- Synchronisieren und teilen Sie Fotos und Videos online mit den Diensten von Google.

Fotos schießen

Viele Smartphones haben Kameras eingebaut, deren Technik vor wenigen Jahren noch hochwertigen Amateurkameras vorbehalten war. Auflösungen zwischen 5 und 8 Megapixel sind schon fast die Regel und machen eine spezielle Digitalkamera überflüssig. So einfach ist das Fotografieren mit der Kamera-App von Google:

❶ Öffnen Sie die Kamera-App. Schieben Sie den Schalter auf die Fotokamera.

❷ Visieren Sie Ihr Motiv an. Der Autofokus stellt automatisch scharf. Tippen Sie auf den Auslöser.

❸ Das Miniaturbild oben zeigt die letzte Aufnahme an. Tippen Sie darauf, um die Fotos der Kamera in der Galerie zu öffnen.

❹ Für Schnappschüsse müssen Sie keine Einstellungen verändern. Wenn Sie jedoch das Ergebnis Ihrer Aufnahmen beeinflussen möchten, tippen Sie einfach ins Display, um die umfangreichen Optionen aufzurufen. Nehmen Sie sich ein wenig Zeit, um sich mit ihnen vertraut zu machen. Hier ist der Fokus auf Automatisch gestellt. Neben den Einstellungen zur Schärfe legen Sie im ersten Menü auch die Belichtung fest.

❺ Die Kamera speichert zu jedem Bild die Ortsdaten. Das ist praktisch, denn so können Sie sehen, wo welches Bild aufgenommen wurde. Wenn Sie einmal keine Geodaten an Ihrem Foto haben möchten, schalten Sie die Funktion mit der kleinen Kompasstaste ab.

❻ Den Weißabgleich, also das Einstellen der Kamera auf die richtige Lichtfarbe, erledigt die Kamera normalerweise sehr gut automatisch. In schwierigen Situationen greifen Sie hier von Hand ein.

❼ Hier befindet sich der eingebaute Blitz ebenfalls im Automatik-Modus. Tippen Sie auf das Symbol, um ihn manuell ein- oder auszuschalten. Letzteres ist, glauben Sie mir, fast immer die beste Wahl.

❽ Die letzte Taste schaltet die Kamera um – mit größter Wahrscheinlichkeit hat Ihr Telefon zwei davon. Ich wähle die Vorderseite, um zu gucken, ob meine Frisur auch richtig sitzt.

Mehr Fotospaß mit Kamera-Apps

Mit der mitgelieferten Kamera-App können Sie schnelle Schnappschüsse erstellen, aber auch richtig kreativ werden, indem Sie mit Einstellungen, Belichtung und Filtern experimentieren. Das ist aber ein wenig umständlich. Camera360 aus dem Market hilft Ihrer Kreativität auf die Sprünge und macht einfach mehr aus Ihren Bildern.

❶ Öffnen Sie die App, und wählen Sie eine der Kameras. Die Effect-Kamera bietet aufwendige Effekte, die von Hand nur schwer zu erstellen sind. Tippen Sie auf die Taste Effect.

❷ Wählen Sie einen der Effekte. In schwierigen Lichtverhältnissen, zum Beispiel bei Gegenlichtmotiven, empfehle ich den Effekt HDR. Dieser Effekt ermöglicht Fotos, die näher an dem sind, was unser Auge sehen kann – und zwar mit einem einfachen Trick: Die Kamera erstellt drei Fotos mit unterschiedlicher Belichtung und kombiniert sie zu einem Bild.

❸ Bilder, wie sie früher nur mit großen, teuren Großformatkameras (die mit dem schwarzen Balgen) möglich waren, erstellen Sie jetzt mit Ihrem Smartphone. Wählen Sie Tilt-Shift.

❹ Das Prinzip ist einfach. Mit dem Finger wählen Sie einen kleinen Bereich aus, der scharf gestellt wird. Alles davor und dahinter wird stark unscharf dargestellt. Damit erhalten auch große Objekte den Anschein, als seien sie eine Makroaufnahme.

❺ Tippen Sie links in den Balken, um Originalbild und Verfremdung zu vergleichen. Tippen Sie auf die Diskette, um das Foto zu speichern.

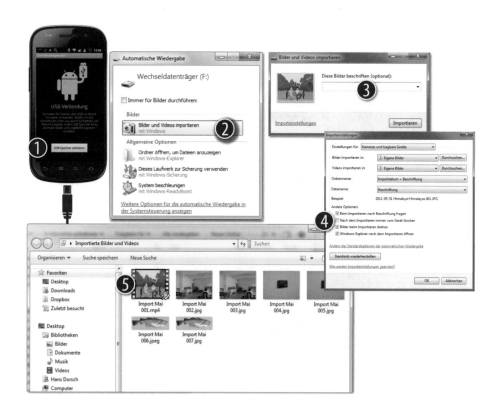

Bilder und Filme mit Windows 7 importieren

Fotos und Videos, die Sie auf dem Smartphone erstellen, lassen sich am besten am Computer verwalten. Dort lassen sie sich erstens richtig groß auf dem Bildschirm betrachten und zweitens bequem organisieren und verwalten. Unter Windows benötigen Sie dazu eigentlich nicht mehr als den Explorer. So kommen Ihre Fotos und Videos auf den PC:

1. Stecken Sie Ihr Gerät an den USB-Anschluss, und wählen Sie den Modus Massenspeicher.

2. Sobald Sie Ihr Gerät anstecken, fragt Windows, wie es verfahren soll. Wählen Sie Bilder und Videos importieren.

3. Im nächsten Schritt können Sie einen eigenen Namen für Ihre Dateien festlegen. Zum Beispiel Familienfest Regensburg oder, wie hier, Import Mai. Alle Dateien werden dann nummeriert und heißen Import Mai 001 etc..

4. Diese Einstellungen können Sie in den Importeinstellungen anpassen. Klicken Sie dazu auf den gleichnamigen Link im Importfenster. Setzen Sie dort den Haken, wenn Sie die Bilder nach dem Import löschen möchten.

5. Im Normalfall landen Ihre Dateien in Meine Bilder (in Ihrem Benutzerordner), und zwar durchnummeriert in einem Ordner, der das Importdatum als Titel trägt.

Und wie kommen meine Bilder auf mein Smartphone?

Ganz einfach: ebenfalls über den Explorer. Mehr dazu finden Sie in Kapitel 3.

Picasa – Fotos und Videos auf den Computer übertragen

Es gibt kaum etwas Einfacheres, als Ihre Fotos auf den Computer zu bringen. Das mit USB-Kabel angeschlossene Smartphone verhält sich am Rechner wie eine Digitalkamera. Aber mit einer Fotosoftware erschließen Sie erst richtig, was die Fotosensoren eingefangen haben.

So eine Software ist Picasa von Google. Die App ist ideal, um selbst große Foto- und Videoarchive auf dem Computer zu sichten, zu verwalten und zu bearbeiten. Egal, auf welchem Computer Sie sie verwenden, ob PC, Mac oder Linux: Sie sieht immer gleich aus und funktioniert immer gleich – und sie ist immer gleich teuer, nämlich kostenlos. So kommen Ihre Fotos und Videos in die Picasa-Datenbank:

❶ Öffnen Sie Picasa, und schließen Sie Ihr Smartphone über USB an den Computer an. Ignorieren Sie Meldungen anderer Programme, die sich anbieten, die Fotos zu verwalten.

❷ Picasa öffnet einen neuen Reiter: Importe. Wählen Sie einen Ort und einen Titel für den Ordner mit den importierten Fotos aus, und legen Sie fest, was nach dem Kopieren mit den Fotos auf dem Gerät passieren soll. In diesem Fall werden alle Inhalte von der Karte gelöscht. Auf der nächsten Seite sehen Sie, wie Ihre liebsten Fotos wieder aufs Telefon kommen. Tippen Sie Alle importieren.

❸ Alle Fotos sind jetzt in Picasa geladen. Sie finden sie in der linken Spalte im Bereich Ordner.

❹ Sie können jetzt den USB-Speicher wieder deaktivieren. (Werfen Sie dieSD-Karte vorher am Computer aus.)

Picasa oder doch eine andere App?

Es gibt noch andere Apps, mit denen sich Fotos und Videos verwalten und bearbeiten lassen. Diese sind jedoch entweder nur für eine Plattform erhältlich, so wie iPhoto am Mac und die Windows Live Fotogalerie unter Windows, oder sie kosten Geld, wie zum Beispiel Adobes Photoshop Elements. Und Picasa hat noch etwas, das die anderen nicht haben, nämlich Picasaweb. Mehr dazu finden Sie auf der nächsten Seite.

Mit Picasa-Webalben haben Sie immer die neuesten Familienbilder dabei

Darf ich Sie noch mal an den Computer bitten? Es lohnt sich. Denn mit Picasa erstellen Sie automatisch ein immer aktuelles Familienalbum, und mit den Picasa-Webalben bringen Sie die Fotos auf Ihr Smartphone. So haben Sie Ihre Liebsten immer dabei.

❶ Blättern Sie mit Picasa in Ihren zuletzt importieren Fotos und Videos. Blenden Sie in der rechten Spalte die Tags (Schlagworte) ein. Klicken Sie dazu unten auf die Tag-Taste.

❷ Versehen Sie Ihre Fotos mit aussagekräftigen Schlagworten. Für den Familienausflug wähle ich kind, familie, wandern und ausflug.

❸ Erstellen Sie jetzt ein automatisches Album für alle Bilder mit dem Schlagwort kind. Wählen Sie dazu aus dem Menü Tools → Sonstiges → Tag als Album anzeigen ... Geben Sie ein Tag in das Suchfeld ein; ich nehme kind.

❹ Das automatische Album taucht jetzt in der linken Spalte auf. Wann immer Sie ab jetzt ein Foto mit dem Schlagwort kind versehen, wird es in diesem Album angezeigt. Wählen Sie das Album aus.

❺ Melden Sie sich am oberen Fensterrand in Ihrem Picasa-Webalbum mit Ihren Google-Kontodaten an.

❻ Klicken Sie dann auf den Schalter unter der Überschrift Mit Web synchronisieren. Wählen Sie im nächsten Schritt, wer das Album sehen soll.

❼ Jetzt muss Android das Album noch synchronisieren. Öffnen Sie dazu auf dem Smartphone vom Startbildschirm Einstellungen → Konten & Synchr. und dann Ihr Google-Konto.

❽ Nach kurzer Zeit finden Sie das Album in Ihrer Galerie.

Tag-Power

Taggen Sie alles, aber achten Sie auf Konsistenz. Ich schreibe alle Tags klein und in der Einzahl. Also kind statt Kinder und kuh statt Kühe. Dieses Vorgehen erleichtert später die Suche!

Videos aufnehmen und verteilen

Mit der Kamera im Smartphone brauchen Sie noch ein Gerät weniger kaufen und mit sich tragen: die Videokamera. Die Objektive der meisten Smartphones sind besser als die der Videokameras, die gerne vor den Ferien bei den Discountern im Prospekt zu finden sind. Und weil sie über das große Display gesteuert werden, lassen sich die Funktionen auch wesentlich besser nutzen.

❶ Öffnen Sie die Kamera-App. Schieben Sie den Schalter auf die Videokamera.

❷ Tippen Sie auf den Auslöser, und nehmen Sie Ihr Video auf. Tippen Sie noch einmal auf den Auslöser, um die Aufnahme zu stoppen.

❸ Das Miniaturbild oben zeigt die letzte Aufnahme an. Tippen Sie darauf, um zur Galerie zu wechseln und die letzten Videos anzuzeigen.

❹ In den Einstellungen können Sie zwischen verschiedenen Effekten wählen, zum Beispiel Schwarz/Weiß, Sepia oder Negativ.

❺ Um den Weißabgleich, also das Einstellen der richtigen Lichtfarbe, müssen Sie sich bei guten Lichtverhältnissen nicht kümmern. In schwierigen Situationen greifen Sie hier von Hand ein.

❻ Den eingebauten Blitz nutzt die Videokamera als Filmleuchte. Tippen Sie auf das Symbol, um ihn einzuschalten.

❼ Stellen Sie die Videoqualität ein. Die Standardeinstellung ist Hoch (meist HD, 720p). Die Option YouTube zeichnet in der gleichen Qualität auf, beschränkt die Aufnahmelänge jedoch auf 10 Minuten, den Maximalwert für YouTube-Uploads.

❽ Mit der letzten Taste wechseln Sie zur Frontkamera. Mit dieser können Sie Aufnahmen von sich selbst erstellen.

Videos bei YouTube hochladen

Wohin mit den drolligen Tiervideos? Zu YouTube natürlich. Das Portal ist der Quasi-Standard für Online-Videos. Der beste Ort also, um Ihre Videos im Netz zu veröffentlichen. Der Upload-Kanal ist fest in Android eingebaut, YouTube gehört schließlich auch zu Google, dem Android-Entwickler.

❶ Öffnen Sie die Galerie, und suchen Sie das Video, das Sie hochladen möchten. Drücken Sie lange darauf, um ein Video auszuwählen. Es erhält einen grünen Haken.

❷ Tippen Sie dann auf die Taste Weitergeben.

❸ Wählen Sie aus dem Menü YouTube.

❹ Geben Sie einen Titel für Ihr Video ein, und legen Sie fest, ob das Video öffentlich zu sehen sein soll, oder privat, nur für Sie und Ihre Freunde. Tippen Sie dann auf Hochladen.

❺ Den Upload können Sie in Meine Uploads verfolgen. Sie erreichen es über das Benachrichtigungsfeld.

❻ Öffnen Sie die YouTube-App, und tippen Sie auf Menü → Mein Kanal. Sie gelangen zu Ihrer Seite bei YouTube.

❼ Ihr Video taucht ganz oben in der Liste auf. Tippen Sie darauf, um es zu öffnen.

❽ Geben Sie den Link an Freunde und Verwandte weiter. Nur diese können dann das Video online sehen.

Video auf dem Smartphone trimmen

Jeder gute Kameramann lässt bei der Aufnahme vorne und hinten etwas Luft, damit er beim Schnitt entscheiden kann, wo die Szene beginnt. Oft ist auch die lustigste Stelle des Videos vom letzten Ausflug genau in der Mitte der Aufnahme. In diesem Fall möchte man den Rest einfach wegschneiden, bevor man das Video anderen zeigt. Das nennt man Trimmen. Mit einer kleinen App namens VidTrim bringen Sie Ihr Video auf die richtige Länge.

❶ Öffnen Sie VidTrim, und wählen Sie ein Video aus der Liste.

❷ Verschieben Sie die Anfasser links und rechts in der Zeitleiste. So legen Sie den Bereich für das neue Video fest.

❸ Tippen Sie in das Bild, um die Wiedergabe anzuhalten oder fortzufahren.

❹ Sind Sie mit dem Ausschnitt zufrieden, tippen Sie auf die Schere oben rechts.

❺ Wählen Sie aus dem Dialog Save as New Clip. VidTrim speichert das beschnittene Video als neue Datei ab.

❻ Sie finden das Video neben dem Original in der Galerie.

KAPITEL 15 | Wartung, Pflege und Fehlerbehebung

»Hello, IT. Did you try to turn it off and on again?« – oder zu Deutsch: »Schon mit Aus- und Einschalten versucht?«

Mit diesem Satz auf dem Anrufbeantworter halten sich Roy und Moss, die Systemadministratoren in der großartigen BBC-Serie The IT Crowd lästige Computernutzer vom Leibe. Und in den meisten Fällen funktioniert das auch.

Ihr Android-Smartphone ist nichts anderes als ein äußerst leistungsfähiger Computer. Diese Tatsache versteckt sich allerdings ziemlich gut unter einer schicken Oberfläche und aufgeräumten Programmen. Tauchen mal Probleme auf, hilft es aber, sich daran zu erinnern: Ausschalten, einschalten und dann weitersehen.

- Starten Sie Ihr Smartphone neu, um Fehler zu beheben.
- Setzen Sie Ihr Gerät auf die Werkseinstellungen zurück, und stellen Sie danach Ihre Einstellungen wieder her.
- Machen Sie Ihr Smartphone kindersicher.
- Holen Sie sich Systeminformationen, und sparen Sie Energie.

Das Android-Smartphone neu starten

Die Qualitätskontrollen bei der Smartphone-Produktion sind ziemlich gut. Wenn sich Ihr Android also seltsam verhält, träge reagiert, wenn eine Taste nicht mehr funktioniert oder wenn der Bildschirm plötzlich so dunkel ist, dass man kaum mehr etwas erkennen kann, ist das in den seltensten Fällen ein Hardware-Defekt. Ziehen Sie dann einfach mal den Stecker – oder übersetzt: Starten Sie es neu.

❶ Schalten Sie Ihr Gerät mit der Einschalttaste aus.

❷ Öffnen Sie die Abdeckklappe, und entfernen Sie den Akku.

❸ Stecken Sie den Akku wieder in das Gerät, und schalten Sie es wieder an.

❹ Neustart mit Tastatur: Geräte mit Tastatur lassen sich auch mit echten Tastenbefehlen zurücksetzen. Tippen Sie Shift-Alt-Del auf der Tastatur.

Reagiert Ihr Gerät nicht mehr auf Eingaben, überspringen Sie einfach Punkt 1, und nehmen Sie den Akku im laufenden Betrieb heraus.

Testen Sie die Hotline

Der Tipp mit dem dunklen Bildschirm kam übrigens von der Samsung-Hotline. Nicht sofort, aber im Laufe eines längeren Gesprächs. Ein Anruf kann sich also lohnen.

Android sichern und auf Werkseinstellungen zurücksetzen

Ihr Smartphone ist unter der schicken Hülle ein kleiner leistungsfähiger Computer. Wenn es sich seltsam verhält, langsam wird oder permanent abstürzt, hilft es, wie beim Computer, den Zustand wiederherzustellen, den es beim Kauf hatte: den Werkszustand. Verglichen mit dem Computer geht das beim Android-Smartphone jedoch viel schneller und einfacher.

❶ Öffnen Sie Einstellungen → Datenschutz.

❷ Sichern Sie Ihre Daten: Aktivieren Sie die Punkte Meine Daten sichern sowie Automatisch Wiederherstellen. Über Ihr Google-Konto speichert Android dann alle Einstellungen für Kontakte, Kalender, Apps und Zugangsdaten für WLAN und andere Netze sicher im Netz. Wie lange die Sicherung der Daten dauert, kann niemand genau sagen. Geben Sie Ihrem Gerät vielleicht einen Tag Zeit. Wie Sie die gesicherten Daten zurückholen, zeige ich auf der nächsten Seite.

❸ Tippen Sie auf Auf Werkszustand zurücksetzen.

❹ Manche Geräte setzen auch die SD-Karte beziehungsweise den USB-Speicher zurück. Setzen Sie den Haken, wenn Sie das wollen. Wenn nicht, bleiben alle Fotos, Videos und Dokumente, die Sie darauf gespeichert haben, auch danach noch verfügbar.

❺ Bestätigen Sie das Zurücksetzen des Telefons. Wenn Ihr Telefon durch ein Passwort geschützt ist, geben Sie dieses im nächsten Schritt ein. Jetzt werden alle Einstellungen und alle heruntergeladenen Anwendungen gelöscht. Im Anschluss startet Ihr Telefon neu.

Ihr Android-Smartphone mit Ihrem Google-Konto wiederherstellen

Wenn Sie Ihre Daten bei Google gesichert haben (siehe vorherige Seite), können Sie Ihr Gerät im Falle eines Resets komplett wiederherstellen. Und falls Ihr Gerät tatsächlich kaputt sein sollte, können Sie auf diese Weise mit Ihren Einstellungen und Daten auf ein neues Smartphone umziehen.

❶ Schalten Sie Ihr Gerät ein, und folgen Sie den Anweisungen. Melden Sie sich mit Ihrem Google-Konto an, das Sie als Hauptkonto für Ihr Gerät verwenden.

❷ **Wichtig**: Holen Sie jetzt Ihre Daten zurück. Markieren Sie dazu den Punkt Von meinem Google-Konto auf diesem Gerät wiederherstellen.

❸ Jetzt startet der Abgleich. Lesen Sie noch die Hinweise zur Wiederherstellung, und tippen Sie auf Setup abschließen. Die Wiederherstellung der Daten dauert eine Weile. Bis alle Daten wieder auf Ihrem Gerät sind, können einige Stunden vergehen. Sie können es aber schon nutzen.

Schalten Sie den WLAN-Zugang wieder ein

Bei der Wiederherstellung Ihrer Apps werden möglicherweise eine Menge Daten über das Netz bewegt. Schalten Sie am besten gleich den WLAN-Zugang wieder ein.

Systeminformationen anzeigen und verwalten

Das Schöne an offenen Systemen wie Android ist, dass Sie beinahe unendlich viele Informationen über Ihr System abfragen können. Ich verwende dazu eine App namens Android System Info. Diese App ist wie ein Röntgengerät für Ihr Smartphone. Ist etwas nicht in Ordnung, können Sie es auch gleich reparieren.

❶ Das Dashboard zeigt die wichtigsten Zustände Ihres Gerätes an: Batterie und Speicher.

❷ Alles, was Sie über Ihr System wissen wollen, finden Sie im zweiten Reiter. Schauen Sie doch mal nach, welche Sensoren welches Herstellers in Ihrem Telefon verbaut sind.

❸ Die laufenden Tasks, also Apps und Hintergrunddienste, finden Sie im dritten Reiter. Tippen Sie auf einen Eintrag, um die Informationen dazu anzuzeigen, sie zu öffnen oder zu beenden.

❹ Alle Apps auf Ihrem Smartphone finden Sie im vierten Reiter. Tippen Sie auf einen Eintrag. Sie können die App von hier starten, verwalten oder deinstallieren. Praktisch oder?

❺ Wollen Sie über die wichtigsten Parameter Ihres Gerätes Bescheid wissen, installieren Sie das Widget Android System Info.

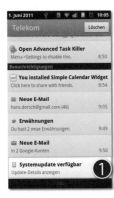

Android-Systemupdates installieren

Für mich gibt es kaum etwas Schöneres als Systemupdates. Ich versuche immer schon vorher herauszubekommen, welche neuen Funktionen demnächst veröffentlicht werden. Um so mehr freue ich mich, wenn es endlich so weit ist. Selbst wenn Ihnen das Thema nicht so wichtig ist (ich kann es mir vorstellen), sollten Sie Softwareupdates mitnehmen, vor allem, wo sie so schnell und einfach durchzuführen sind wie bei Android.

❶ Neue Systemupdates werden in den Benachrichtigungen angezeigt. Tippen Sie auf den Eintrag.

❷ Tippen Sie im Dialogfeld auf Weitere Infos ..., um Details zum Update anzuzeigen.

❸ Die Infos zeigen Informationen zum Update. Hier wird zum Beispiel die Videochatfunktion in Google Talk aktualisiert. Tippen Sie auf Neu starten & installieren.

❹ Das Update dauert nur kurze Zeit. Währenddessen sehen Sie eine kleine Pausenanimation (Android mit Ladebalken) auf dem Telefon. Wenn es wieder gestartet ist, können Sie die aktuelle Systemversion in Einstellungen → Über das Telefon sehen. Hier ist es die Version 2.3.4.

Warten Sie auf ein Update? Mit einem Tipp auf den Eintrag Systemupdates in den Telefoninfos suchen Sie nach aktuellen Daten.

Worauf Sie achten sollten

Systemupdates sind unterschiedlich groß. Wenn möglich, sollten Sie das Update dann laden, wenn Sie in einem WLAN angemeldet sind.

Schließen Sie Ihr Smartphone ans Ladegerät oder per USB an Ihren Computer an. Während eines Updates sollte auf keinen Fall der Strom ausgehen.

Energiesparen für längeren Smartphone-Spaß

Falls Sie bisher eines dieser Geräte hatten, die nur telefonieren konnten, werden Sie sich umgewöhnen müssen. Ihr Smartphone muss wahrscheinlich häufiger an die Steckdose, wenn Sie es intensiv nutzen. Schließlich handelt es sich um einen kleinen Computer. Dass dieser Computer mit einem Akku im Format eines Streichholzbriefchens überhaupt so lange laufen kann, lässt mich immer wieder staunen. Ich habe aber ein paar Tipps, mit denen Sie die Laufzeit verlängern können:

- Aktivieren Sie das Widget Energiesteuerung (❶). Damit steuern Sie die wichtigsten Parameter: Wi-Fi, Bluetooth, GPS, Automatische Synchronisierung, Helligkeit. (Wie Sie Widgets installieren, lesen Sie in Kapitel 8.)

- Schalten Sie die Option Auto-Helligkeit ein (❷). Ihr Smartphone verfügt über einen Helligkeitssensor. Je nachdem, wie das Licht in der Umgebung ist, wird der Bildschirm heller oder dunkler. Ist der Bildschirm immer noch zu hell, regeln Sie die Helligkeit unter Einstellungen → Helligkeit von Hand. Das Display ist nämlich einer der größten Stromschlucker.

- Aktivieren Sie den Flugmodus (oder Offline-Modus) (❸). Sie erreichen ihn über die Standby-Taste (lange drücken). Damit schalten Sie automatisch drei Großverbraucher ab: Mobilfunk, WLAN und Bluetooth.

- Schalten Sie Push-Funktionen ab: Holen Sie E-Mail manuell ab, und verzichten Sie auf Benachrichtigungen anderer Apps.

- Schalten Sie Apps mit Ortungsdiensten aus: Maps und andere Navigationstools brauchen ziemlich viel Strom. Denken Sie daran, und beenden Sie die Akkusauger, wenn Sie sie nicht brauchen.

- Auch eine Möglichkeit: Überfluss statt Askese. Schaffen Sie sich ein KFZ-Netzteil oder einen Zusatzakku an. Wenn ich unterwegs bin, zum Beispiel auf Messen oder anderen Veranstaltungen, habe ich immer einen Zusatzakku (gefüllt mit Öko-Strom) dabei und ein Micro-USB-Kabel, um ihn an meine diversen elektronischen Geräte anzuschließen.

Das Smartphone kindersicher machen

Lange Auto- oder Zugfahrten werden irgendwann langweilig. Wenn Kühe suchen oder Nummernschilder erraten (auch für Kennzeichen gibt es eine App) nicht mehr unterhalten, müssen Spiele her. Davon gibt es mittlerweile für Android so viele, dass eine eigene Spielkonsole überflüssig ist. Gleichzeitig sollen die Kleinen aber auch nicht die geschäftlichen E-Mails lesen, Schmuddelkram im Internet suchen oder aus Versehen im Market einkaufen. Mit einer kleinen App sichern Sie alle Apps mit einem kleinen Vorhängeschloss. Den Schlüssel dazu haben nur Sie.

❶ Installieren Sie die App Perfect AppLock! auf Ihrem Android. Die Lite-Version lässt sich fünf Tage testen, die Pro-Version kostet zirka 1,30 EURO. Starten Sie die App, und wählen Sie den Reiter Alle.

❷ Markieren Sie alle Apps, die Sie schützen möchten, zum Beispiel den Browser, die Einstellungen und die E-Mail-Apps.

❸ Schalten Sie dann unter Einstellungen den Schutz ein.

❹ Legen Sie eine neue PIN fest, oder geben Sie ein Muster ein. Ich wähle ein Muster.

❺ Alle ausgewählten Apps finden Sie unter Geschützt. Das kleine Schloss in der Statusleiste zeigt an, dass der Schutz aktiviert ist.

❻ Ab jetzt lässt sich der geschützten Browser nur noch mit der PIN oder dem Muster öffnen. Die Angry Birds bleiben natürlich für alle zugänglich.

Sperre nur für Kleinkinder

Das Toddler Lock macht aus dem Smartphone eine kleine Maltafel, mit der sich Kleinkinder beschäftigen können. Ein kleiner Trick für Große bringt den Home-Bildschirm zurück.

Unterstützung – vom Hersteller und von den Anwendern

Bei Problemen mit Ihrem Smartphone gibt es drei Quellen nützlicher Tipps: den Hersteller, Google und andere Anwender.

❶ Fragen Sie den Hersteller: Vergessen Sie Ihren Telefonanbieter, und wenden Sie sich direkt an den Hersteller. Die großen Elektronikmärkte kümmern sich auch schon lange nicht mehr um Ihre kaputte Waschmaschine. Und das ist gut so, denn die bessere Hilfe erhalten Sie häufig direkt beim Hersteller. Beim Smartphone ist das nicht anders. Registrieren Sie Ihr Gerät am besten sofort, nachdem Sie es gekauft haben. Notieren Sie sich auch die Telefonnummer der Hotline.

❷ Nutzen Sie das Wissen der anderen: Android-Nutzer helfen gerne. Bei Fragen habe ich die besten Antworten in Foren gefunden, zum Beispiel bei www.androidhilfe.de und bei www.android-pit.de.

❸ Fragen Sie Google: Der Entwickler von Android bietet Unterstützung zum System und zu den Produkten und Diensten rund um Android. Die Seiten finden Sie bei Google Mobile oder unter www.bitly.com/goand.

Index

G

H

I